La puissance de la joie

Ouvrages du même auteur p. 213

Frédéric Lenoir

La puissance de la joie

Fayard

Couverture : Nuit de Chine

Photo de l'auteur © Philippe Larroudé

ISBN : 978-2-213-66135-3

L'effet de la sagesse, c'est une joie continue[1].

SÉNÈQUE

À la mémoire de Veronica

AVANT-PROPOS

Existe-t-il une expérience plus désirable que celle de la joie ?

Nous y aspirons tous, obstinément, pour l'avoir déjà vécue, ne serait-ce que de manière fugace. L'amoureux en présence de l'être aimé, le joueur à l'instant de la victoire, l'artiste devant sa création, le chercheur au moment de la découverte ressentent une émotion plus profonde que le plaisir, plus concrète que le bonheur, une émotion qui emporte tout l'être et qui devient, à travers ses mille facettes, le suprême désirable.

La joie porte en elle une puissance qui nous bouscule, nous envahit, nous fait goûter à la plénitude. La joie est une affirmation de la vie. Manifestation de notre puissance vitale, elle est le moyen que nous avons de toucher cette force d'exister, de la goûter. Rien ne nous rend plus vivants que l'expérience de la joie. Mais peut-on la faire émerger ? L'apprivoiser ? La cultiver ? Peut-on formuler aujourd'hui une sagesse fondée sur la puissance de la joie ?

Pour me lancer dans une telle recherche, je me suis bien sûr appuyé sur les apports décisifs des sagesses d'Orient et d'Occident. En effet, la joie est essentielle dans la pensée taoïste chinoise, comme elle irrigue en profondeur le message des Évangiles. En revanche, elle a très peu intéressé les philosophes. Sans doute ont-ils considéré que son caractère imprévisible, émotionnel, parfois même excessif, la rend peu propice à une réflexion distanciée. Il existe cependant des penseurs, et non des moindres, en particulier Spinoza, Nietzsche et Bergson, qui ont mis la joie au cœur même de leur pensée. C'est à leurs côtés que nous commencerons notre cheminement en distinguant plaisir, bonheur et joie et en essayant de comprendre l'expérience de la joie d'un point de vue philosophique. Mais comment poursuivre cette quête sans faire référence aux propres expériences qu'on peut en avoir ? Je m'appuierai donc aussi sur mon histoire, mon ressenti, mes convictions personnelles.

Je tenterai de montrer, de manière très concrète, qu'il existe trois grandes voies d'accès à la joie. Tout d'abord, un chemin qui favorise son émergence à travers des attitudes telles que l'attention et la présence, la confiance et l'ouverture du cœur, la gratuité, la bienveillance, la gratitude, la persévérance dans l'effort, le lâcher-prise ou encore la jouissance du corps. Deux autres voies, ensuite, nous conduisent à expérimenter une joie plus durable : un chemin de déliaison, c'est-à-dire de libération intérieure, qui nous permet de devenir de plus en plus nous-mêmes et, inversement, un chemin de reliaison, d'amour, qui nous permet d'être accordés au monde et aux autres de manière pleine et juste. Nous découvrirons alors que la joie parfaite, celle promise au terme de ces deux chemins d'accomplissement de soi et de communion avec le monde, n'est autre qu'une expression profonde, active et consciente de ce qui est offert à tous dès les premiers instants de notre existence et que nous avons bien souvent perdu au fil des difficultés rencontrées : la joie de vivre.

Cet ouvrage, que j'ai voulu accessible au plus grand nombre, est né d'un enseignement que j'ai, dans un premier temps, transmis de manière orale. J'ai ensuite retravaillé en profondeur le texte, mais en cherchant à ce qu'il conserve le caractère vivant et spontané de l'oralité. Je remercie vivement Djénane Kareh Tager et mon éditrice, Sophie de Closets, pour l'aide précieuse qu'elles m'ont apportée dans ce travail.

1

Le plaisir, le bonheur, la joie

La nature nous avertit par un signe précis que notre destination est atteinte. Ce signe est la joie[2].

BERGSON

L'expérience de satisfaction la plus répandue et la plus immédiate est celle du plaisir. C'est une expérience que nous vivons tous quand nous assouvissons un besoin ou un désir du quotidien. J'ai soif, je bois, je ressens du plaisir. J'ai faim, je mange, je ressens du plaisir, beaucoup de plaisir même, si les plats sont savoureux. Je suis fatigué, je peux enfin me reposer, je ressens du plaisir. Je sirote mon café ou mon thé le matin, c'est un moment de plaisir. Ces plaisirs des sens sont les plus communs. Il en existe d'autres, plus intérieurs, qui relèvent du cœur et de l'esprit. Je rencontre un ami, je contemple un beau paysage, je me plonge dans un livre qui me plaît, j'écoute une musique qui m'émeut, j'accomplis une tâche qui m'intéresse, j'éprouve aussi du plaisir, c'est-à-dire une satisfaction. On ne peut pas vivre sans plaisir : notre vie se résumerait alors à une interminable corvée.

Le problème du plaisir, et les philosophes en discutent depuis l'Antiquité, c'est qu'il ne dure pas. Je mange, je bois et, quelques heures plus tard, j'ai à nouveau faim et soif. L'ami que j'ai croisé s'en va, la musique s'interrompt, mon livre s'achève, je n'ai plus de plaisir. Le plaisir est lié à une stimulation extérieure qu'il faut sans cesse renouveler. Par ailleurs, il est souvent contrarié : nous connaissons tous des désirs ou des besoins insatisfaits et il suffit parfois de peu pour nous ôter tout plaisir : une eau tiède, une nourriture insipide, un ami croisé de fâcheuse humeur ou la beauté d'un paysage gâchée par une mauvaise compagnie. En réalité, il est très difficile de connaître un état de satisfaction durable si on ne se fonde que sur la seule recherche du plaisir.

Le deuxième problème, que nous avons tous expérimenté, est que certains plaisirs nous font du bien dans l'immédiat, mais du mal à plus long terme. Des mets trop gras ou trop sucrés, certes délicieux, auront, pris en grande quantité, des répercussions sur notre santé ; la jolie fille, ou le beau garçon, qui nous apportera un plaisir sexuel immédiat, peut mettre notre couple en danger ; les verres d'alcool, autour desquels on a trinqué lors d'une fête chez des amis, se traduiront par une gueule de bois le lendemain. Sur le moyen ou le long terme, voire dans une vision plus globale de l'existence, la satisfaction des plaisirs immédiats se révèle parfois un mauvais calcul.

Ces deux écueils posent une question sur laquelle les sages d'Orient et d'Occident se sont penchés[3] : existe-t-il une satisfaction durable qui aille au-delà du caractère éphémère et ambivalent du plaisir ? Une satisfaction qui ne soit pas limitée dans la durée, qui ne dépende pas de circonstances extérieures, et qui ne devienne pas, *in fine*, un mauvais compagnonnage ? En quelque sorte, un plaisir plus global et plus durable. Pour définir cet état, un concept a été inventé : celui de bonheur. C'est ainsi qu'a commencé, vers le milieu du premier millénaire avant notre ère, aussi bien en Inde qu'en Chine ou dans le Bassin méditerranéen, une quête philosophique à laquelle sages et penseurs ont livré diverses réponses, essayant toujours de surmonter les faiblesses ou les limites du plaisir.

Tout en étant très diverses, la plupart des réponses convergent sur trois points essentiels : il n'y a pas de bonheur sans plaisir, mais, pour être heureux, nous devons apprendre à discerner et à modérer nos plaisirs. « Nul plaisir n'est en lui-même un mal ; mais les causes productrices de certains d'entre eux apportent de surcroît bien plus de perturbations que de plaisirs[4] », nous dit Épicure. On a de ce dernier l'image du philosophe de la jouissance. En réalité, Épicure est le grand philosophe de la modération. Il ne prohibe pas les plaisirs, il ne prône pas l'ascèse, mais il estime que trop de plaisir tue le plaisir. Que l'on jouit davantage d'une chose quand on sait la limiter en quantité et en privilégier la qualité. Que l'on est bien plus heureux parmi quelques amis réunis autour d'un repas simple mais bon, que dans un banquet où l'abondance de mets et de convives nous empêche de savourer la qualité des uns et la compagnie des autres. Il est, en quelque sorte, le précurseur d'une tendance que l'on voit aujourd'hui se développer dans nos sociétés saturées de biens matériels et de plaisirs, le « *less is more* » – que l'on pourrait traduire par « le moins est le mieux », ou encore par l'expression de « sobriété heureuse » chère au paysan philosophe Pierre

Rabhi, qui évoque tout aussi bien « la puissance de la modération ».

« Quand nous disons que le plaisir est le but de la vie », poursuit Épicure, « nous ne parlons pas des plaisirs des voluptueux inquiets, ni de ceux qui consistent en des jouissances déréglées. Car ce n'est pas une suite ininterrompue de jours passés à boire et à manger, ce n'est pas la jouissance des jeunes garçons et des femmes, ce n'est pas la saveur des poissons et des autres mets que porte une table somptueuse, ce n'est pas tout cela qui engendre la vie heureuse, mais c'est le raisonnement vigilant, capable de trouver en toute circonstance les motifs de ce qu'il faut choisir et de ce qu'il faut éviter, et de rejeter les vaines opinions d'où provient le plus grand trouble des âmes. Or, le principe de tout cela et par conséquent le plus grand des biens, c'est la prudence[5]. » Le mot « prudence », *phronesis* en grec, n'a pas, pour les philosophes de l'Antiquité, la signification qu'il recouvre de nos jours. Pour eux, la prudence est une vertu de l'intelligence, qui nous permet de discerner, de juger et de choisir avec justesse. Aristote, qui a vécu quelques décennies avant Épicure, insiste tout autant que ce dernier sur l'importance de cette qualité intellectuelle dans son rôle de discernement : savoir ce qui est bon et ce qui est mauvais pour nous. Et c'est principalement, selon lui, grâce à cet exercice de discernement de la raison que nous pouvons devenir vertueux et accéder à une vie heureuse. Aristote fait de la vertu une voie incontournable d'accès au bonheur. Dans son *Éthique à Nicomaque*, il la définit comme l'équilibre entre deux extrêmes, qui conduit au bonheur par le plaisir et le bien : « J'appelle mesure ce qui ne comporte ni exagération ni défaut [...]. Tout homme averti fuit l'excès et le défaut, recherche la bonne moyenne et lui donne la préférence, moyenne établie non relativement à l'objet, mais par rapport à nous[6]. » Par exemple, le courage est un juste milieu entre la peur et la témérité, ces extrêmes qui, chacun à leur manière, peuvent nous entraîner dans des situations pour le moins déplaisantes. De même, la tempérance, autre qualité qu'il valorise, est le juste milieu entre l'ascèse (renoncement aux plaisirs) et la débauche, deux voies antinomiques à la possibilité de bonheur.

Deux siècles avant Aristote, en Inde cette fois, le Bouddha avait lui-même expérimenté les extrêmes avant d'en constater la vacuité. Avant de devenir un grand sage, Siddharta, c'est son nom, était un prince qui s'étourdissait de plaisirs, sans pour autant être heureux. Après avoir abandonné son titre, sa famille et ses biens, il a rejoint, dans les forêts du nord de l'Inde, un groupe d'ascètes qui vivaient dans la mortification. Mais, après dix ans passés à leurs côtés, il a constaté qu'il n'était pas plus heureux. Ces deux expériences l'ont amené vers la « voie du juste milieu », celle de la tempérance et de l'équilibre, qui est aussi source de bonheur. La tradition chinoise donne à cette voie le nom d'« harmonie », un état d'équilibre permettant la circulation fluide de l'énergie, présent dans la nature, et qu'elle cherche à reproduire dans toutes les activités humaines.

Il n'y a donc pas de bonheur sans plaisirs – des plaisirs modérés et choisis. Or, le plaisir étant éphémère et dépendant de causes qui nous sont extérieures, une nouvelle question se pose : comment rendre le bonheur durable ? Autrement dit, comment continuer à être heureux si je perds mon travail ? si mon conjoint me quitte ? si je tombe malade ? Les philosophes de l'Antiquité répondent qu'il faut parvenir à dissocier le bonheur de ses causes extérieures et lui en trouver de nouvelles, en soi cette fois. C'est le stade supérieur du bonheur, appelé la sagesse. Être sage, c'est consentir à la vie et l'aimer comme elle est. C'est ne pas vouloir à tout prix transformer le monde selon ses propres désirs. C'est se réjouir de ce qu'on a, de ce qui est là, sans toujours désirer davantage ou autre chose. Cette belle formule attribuée à saint Augustin le résume bien : « Le bonheur, c'est de continuer à désirer ce qu'on possède déjà. » Elle fait aussi écho à la morale stoïcienne qui nous incite à distinguer ce qui dépend de nous et ce qui ne dépend pas de nous. Ce qui dépend de nous, essayons de le changer : je suis accro à l'alcool ou aux jeux, je peux combattre mon addiction ; certaines de mes fréquentations me sont néfastes, je les limite. Mais comment réagir face à ce qui ne dépend pas de nous ? Que faire quand la vie nous met à l'épreuve lors d'un accident, d'un deuil, d'une catastrophe ? La sagesse, disent les stoïciens, consiste à accepter ce sur quoi on ne peut pas agir. Ils l'illustrent par la parabole du chien tiré par un chariot. Si le chien résiste et refuse de suivre le chariot, il sera malgré tout tiré de force et arrivera épuisé et blessé à destination. S'il ne se débat pas, il suivra le mouvement du chariot et parcourra le même trajet en ayant beaucoup moins souffert. Autant donc accueillir l'inéluctable, plutôt que de le refuser et de lutter contre le destin. Quand on ne peut faire autrement, mieux vaut accepter les choses telles qu'elles sont, consentir à la vie. Cela ne se décrète évidemment pas sur un coup de baguette magique : la sagesse, même pour la plupart des stoïciens, reste un objectif difficile à atteindre et peu d'êtres humains y parviennent totalement.

L'idéal de sagesse ainsi défini par les Anciens peut se résumer en un mot : l'*autarkeia*, l'« autonomie », c'est-à-dire la liberté intérieure qui ne fait plus dépendre notre bonheur ou notre malheur des circonstances extérieures. C'est elle qui nous apprend à nous réjouir de ce qui advient, l'agréable comme le désagréable – en ayant conscience que, bien souvent, l'agréable n'est qu'une perception, tout comme le désagréable. Le sage, lui, prend tout. Le bonheur qu'il recherche est un état qui se veut le plus global et le plus durable possible, à l'inverse de l'éphémère plaisir. Le sage sait qu'il abrite en lui la véritable source du bonheur. Cette histoire issue de la tradition soufie en est l'illustration :

« Un vieil homme était assis à l'entrée d'une ville. Un étranger venu de loin s'approche et lui demande : “Je ne connais pas cette cité. Comment sont les gens qui vivent ici ?” Le vieil homme lui répond par une question : “Comment sont les habitants de la ville d'où tu viens ?” “Égoïstes et méchants, lui dit l'étranger. C'est pour cette raison que je suis parti." "Tu trouveras les mêmes ici", lui répond le vieillard. Un peu plus tard, un autre étranger s'approche du vieil homme. "Je viens de loin, lui dit-il. Dis-moi, comment sont les gens qui vivent ici ?" Le vieil homme lui répond : "Comment sont les habitants de la ville d'où tu viens ?" "Bons et accueillants, lui dit l'étranger. J'avais de nombreux amis, j'ai eu de la peine à les quitter." Le vieil homme lui sourit : "Tu trouveras les mêmes ici." Un vendeur de chameaux avait suivi les deux scènes de loin. Il s'approche du vieillard : "Comment peux-tu dire à ces deux étrangers deux choses opposées ?" Et le vieillard lui répond : "Parce que chacun porte son univers dans son cœur. Le regard que nous portons sur le monde n'est pas le monde lui-même, mais le monde tel que nous le percevons. Un homme heureux quelque part sera heureux partout. Un homme malheureux quelque part sera malheureux partout." »

Une telle conception du bonheur est aux antipodes de celle qui domine aujourd'hui dans les sociétés occidentales : on y vante sans cesse un pseudo-bonheur narcissique lié à l'apparence et au succès, on nous vend, à longueur de publicités, un « bonheur » se limitant en réalité à la satisfaction immédiate de nos besoins les plus égoïstes. On évoque des « moments de bonheur », alors que pour les philosophes et les sages, le bonheur ne peut être fugace, c'est un état durable, l'aboutissement d'un travail, d'une volonté, d'un effort. En fait, nous confondons plaisir et bonheur et nous sommes bien davantage en quête de plaisirs sans cesse renouvelés que d'un bonheur profond et durable.

Outre le plaisir et le bonheur, il existe un troisième état, qu'on évoque beaucoup moins et qui est source d'un immense contentement dans la vie : c'est la joie. La joie est une émotion, ou un sentiment, que les deux psychiatres François Lelord et Christophe André décrivent comme une « expérience à la fois mentale et physique intense, en réaction à un événement, et de durée limitée[7] ». Sa particularité est d'être toujours intense et de toucher l'être dans son ensemble : le corps, l'esprit, le cœur, l'imagination. La joie est une sorte de plaisir décuplé : plus intense, plus global, plus profond. La plupart du temps, la joie, comme le plaisir, répond à un stimulus extérieur. « Elle nous tombe dessus », avons-nous coutume de dire. Nous avons réussi un examen, nous sommes joyeux. Nous gagnons une compétition, nous exultons de joie. Nous découvrons la solution d'un problème complexe, nous sommes remplis de joie. Je retrouve un ami perdu de vue depuis longtemps, je suis envahi par la joie. La gestuelle du plaisir est bien souvent sobre, lente : on sourit de contentement, on respire d'aise, on s'étire de satisfaction, comme un chat repu auprès d'un bon feu. La joie, le plus souvent, est bondissante. Intense, exubérante, elle nous secoue, nous transporte, s'empare de notre corps, en prend le contrôle. Nous levons les bras au ciel, nous dansons, nous sautons, nous chantons. Pour ma part, je suis un fan de football. À la fois joueur et supporter. Quand l'équipe que je soutiens marque le but décisif à quelques minutes du coup de sifflet final, je ne peux pas rester assis : je saute de joie ! Mon corps a besoin de manifester cette pulsion de vie qui surgit en moi, même si la cause en est aussi triviale qu'une victoire lors d'un match de foot. Et comment oublier cette joie collective qui s'est emparée d'une nation entière au soir du sacre des Bleus lors de la finale de la Coupe du monde en 1998 ! Je reste marqué par ces voitures qui s'arrêtaient net au milieu de la chaussée, par les automobilistes qui en descendaient, non pas pour s'insulter comme c'est en général le cas, mais pour s'étreindre et s'embrasser. C'est l'une des particularités de la joie : elle est communicative. Ce n'est pas un petit plaisir en solitaire. Quand nous sommes dans la joie, nous avons besoin de la partager, de la transmettre aux autres... même à des inconnus !

Pourtant, comme le plaisir, la joie est souvent fugace (nous verrons plus loin que ce n'est pas toujours le cas) et, quand elle nous submerge, nous pressentons que cela ne durera pas. Ce n'est pas le fait du hasard si une des plus émouvantes cantates de Bach est inspirée par ce souhait universel : « Que ma joie demeure ». En même temps que ce sentiment d'euphorie, la joie apporte une force qui augmente notre puissance d'exister. Elle nous rend pleinement vivants. Ne plus jamais connaître la joie entraînerait une grande détresse morale, telle celle que certains d'entre nous traversent à la suite d'un deuil insurmontable, capable d'éteindre toute puissance vitale en soi.

Est-il possible d'analyser, de comprendre, d'expliquer cette expérience de la joie, aux facettes si diverses ? Et, davantage encore, de la cultiver ? Commençons par interroger les rares philosophes qui se sont penchés sur cette belle et entière émotion, elle constitue pour tout être humain, de ses manifestations les plus communes jusqu'en ses formes les plus élevées, le suprême désirable.

2

Les philosophes de la joie

Il faut étendre la joie et retrancher autant qu'on peut la tristesse[8].

MONTAIGNE

Les philosophes de l'Antiquité ont beaucoup traité du plaisir et du bonheur, mais ont assez peu fait cas de la question de la joie. Sans doute en raison de son caractère apparemment irrationnel et échappant à tout contrôle. Le plaisir peut se programmer : je m'apprête à regarder une série que j'aime, à dîner dans un bon restaurant avec des amis, à m'offrir un massage, je sais que ce seront des moments de plaisir. Le bonheur se construit : il résulte d'un travail sur soi, d'un sens donné à sa vie et des engagements qui en découlent. La joie, elle, a un côté gratuit, imprévisible. Ainsi sont les joies sensibles les plus courantes. Je ne peux pas décider qu'en écoutant tel morceau de musique je serai forcément emporté par cette impulsion physique qui caractérise la joie. Je me doute que si mon équipe de foot gagne un match important, je serai joyeux, mais rien ne m'assure que mon équipe gagnera, ni que cette victoire, ce jour-là, me transportera. La part d'impondérable, d'excès, associée à la joie, peut effrayer le philosophe, même quand il en reconnaît le caractère positif, comme le firent dès la Grèce antique Platon, Aristote ou Épicure. Ces philosophes n'ont pas condamné la joie, loin s'en faut. Mais ils ont préféré réfléchir sur le bonheur.

Il en va de même en Inde avec les auteurs des *Upanishad* et, à leur suite, le Bouddha. Eux non plus n'ont pas mis la joie au cœur de leur réflexion, mais plutôt le bonheur définitif que constituent la délivrance de l'ignorance et l'expérience de l'Éveil. La joie est davantage présente en Chine, chez les fondateurs du taoïsme philosophique : Lao-tseu et Tchouang-tseu. J'aurai l'occasion d'y revenir plus longuement dans le chapitre suivant. Elle est aussi présente dans la Bible, et notamment dans les Évangiles, alors que la notion de bonheur terrestre est singulièrement absente du message de Jésus. C'est aussi un point sur lequel je reviendrai.

Intéressons-nous ici à la tradition philosophique occidentale. Dès le haut Moyen Âge et pendant près d'un millénaire, la philosophie a été soumise à la théologie chrétienne, autant dire qu'elle ne s'est plus épanouie en tant que pensée autonome. Il a fallu attendre la Renaissance pour qu'une pensée rationnelle émancipée de la foi puisse à nouveau éclore.

L'un des principaux penseurs français du XVIe siècle, Michel de Montaigne, est sans doute le premier philosophe moderne de la vie heureuse. Son bonheur est fait de plaisirs simples – aimer, manger, se promener, danser, apprendre – que l'on peut apprendre à discerner et à savourer pleinement. Montaigne recherche la tranquillité de l'âme et s'évertue à fuir les conflits relationnels et les complications inutiles de l'existence, mais il insiste particulièrement sur les expériences qui augmentent la joie. Il n'est sans doute pas exagéré de dire qu'il fait de la joie le critère d'une vie bonne, d'une vie heureuse : « Il faut étendre la joie et retrancher autant qu'on peut la tristesse[9]. » Pour ce faire, à l'instar des sages de l'Antiquité, il nous invite à bien connaître notre nature et à former notre jugement pour apprendre à discerner ce qui est bon pour nous, ce qui nous met dans la joie, et ce qui, à l'inverse, nous plonge dans la tristesse. C'est précisément cette intuition philosophique qui se trouve, un siècle plus tard, au cœur de la pensée du philosophe de la joie par excellence : Spinoza.

Baruch Spinoza

Né à Amsterdam en 1632, Spinoza appartient à une famille juive d'origine portugaise ayant émigré en Hollande pour fuir les persécutions de l'Église catholique. Dans le climat plus tolérant du protestantisme libéral, sa famille avait pu prospérer dans les affaires. Le jeune Baruch était extrêmement brillant. Très tôt, il s'est intéressé à la philosophie, à la théologie, il parlait le latin et avait lu les auteurs grecs anciens. Il évoluait dans un milieu d'intellectuels libéraux assez en avance sur leur temps et, peu à peu, il a commencé à adopter des positions critiques vis-à-vis de la religion, à commencer par la sienne, le judaïsme. Il est le précurseur d'une analyse rationnelle critique du texte biblique et affirme, par exemple, que la plupart des grands récits de la Bible, comme le Déluge ou encore la division de la mer Rouge par Moïse pour faire fuir son peuple d'Égypte, sont des mythes et non des vérités historiques. Un tel discours était scandaleux à son époque, et Baruch a, pour cette raison, été fortement combattu par les milieux juifs traditionnels auxquels appartenait sa famille, jusqu'à être exclu de la Synagogue, à l'âge de vingt-quatre ans, par un acte d'une grande violence : il fut frappé d'un *herem*, c'est-à-dire une excommunication qui l'a banni, pour cause d'hérésie, de manière définitive, de la communauté juive. Maudit par les siens, il quitte son milieu d'origine et vit parmi des chrétiens libéraux. Mais il refuse de se convertir au christianisme ou de s'engager dans n'importe quelle autre religion, considérant que le philosophe doit être libre dans sa recherche de la vérité. Il mène alors une existence assez solitaire, très simple – il ne s'est pas marié, n'a pas eu d'enfants – et, pour gagner sa vie, il polit des verres d'optique. D'ailleurs, avant d'être reconnu dans toute l'Europe comme un grand philosophe, il le sera comme un remarquable polisseur de verres ! Je trouve émouvant de penser que cet homme a consacré ses journées, en somme, à aiguiser : des verres pour l'acuité visuelle et la pensée pour celle de l'esprit humain. Il écrit très peu, mais ses quelques ouvrages sont déterminants, tel son *Traité théologico-politique*, un monument précurseur, dans lequel il décrit, en faisant une critique de la religion et du politique, ce que serait à ses yeux un État viable : une République laïque où s'exercerait une totale liberté de conscience et d'expression pour tous les citoyens unis dans un contrat social. Il annonce, en ce sens, avec un siècle d'avance, la pensée des Lumières.

Spinoza consacre plus de quinze ans à écrire son chef-d'œuvre, l'*Éthique*, publié de manière posthume – il semble qu'il n'avait pas osé en prendre le risque alors qu'il était en vie. Il est mort assez jeune, à quarante-cinq ans, d'une affection pulmonaire, sans doute due aux poussières de verre et de sable inhalées lors de son activité de polisseur. C'est un âge auquel Aristote dit que l'on commence tout juste à être philosophe. Spinoza, lui, avait déjà écrit une œuvre philosophique magistrale. Menacé physiquement par ceux que ses idées révoltaient (il fut même la cible d'une tentative d'assassinat), il a choisi, dans l'*Éthique*, de s'exprimer de manière codée, usant d'une construction géométrique, avec des scolies, des définitions, des propositions qui s'enchevêtrent. À cela s'ajoute son usage de « faux mots », mots qu'il détourne du sens qui leur est couramment donné, afin de se protéger. Par exemple, il y parle volontiers de Dieu. En réalité, le Dieu de Spinoza n'est pas le Dieu personnel révélé par les monothéismes, mais un Dieu qu'il identifie avec la Nature. Il use en somme, pour reprendre l'expression du philosophe allemand Leo Strauss, d'un « langage de persécution » – c'est pourquoi l'*Éthique* n'est pas d'une lecture aisée et peut même paraître rébarbative au premier abord.

J'ai découvert Spinoza tardivement, mais, sitôt franchis les premiers écueils (en partie grâce à ses excellents commentateurs que sont Robert Misrahi et Gilles Deleuze), j'ai mordu à l'hameçon et j'ai passé six mois sans lâcher l'*Éthique*. Ce fut une révélation, une jubilation.

La philosophie éthique de Spinoza est une philosophie de la joie. Son étude du comportement humain, sa morale, tout ce qu'il estime guider nos actions, commence avec la joie et finit par elle, c'est une joie en acte. Cette éthique est aux antipodes des morales traditionnelles du devoir, comme celles des penseurs du XVIIe siècle ou, plus tard, celle de Kant. Ce n'est pas une morale reposant sur le Bien et le Mal en tant que catégories métaphysiques. Non, pour fonder son éthique, Spinoza laisse de côté toutes les valeurs religieuses et métaphysiques et se pose en observateur de la nature humaine.

Que constate-t-il ? Que « chaque chose, selon sa puissance d'être, s'efforce de persévérer dans son être[10] ». Cet « effort » (*conatus* en latin) est une loi universelle de la vie, ce que confirmera plus de deux siècles plus tard la science biologique. Tout organisme s'efforce non seulement de se protéger, mais aussi d'accroître sa puissance vitale. Or, dans cet effort naturel pour se perfectionner, il rencontre d'autres corps qu'il affecte ou qui l'affectent. Spinoza observe chez l'être humain que lorsque ces rencontres constituent un obstacle, diminuent sa puissance d'agir, l'empêchent de grandir, il est envahi par un sentiment de tristesse. À l'inverse, lorsqu'elles lui permettent d'atteindre une plus grande perfection, d'augmenter sa puissance d'exister, il est habité par un sentiment de joie. Il définit donc la joie comme le « passage de l'homme d'une moindre à une plus grande perfection[11] ». Il signifie par là que, chaque fois que nous grandissons, que nous progressons, que nous remportons une victoire, que nous nous accomplissons un peu plus selon notre nature propre, nous sommes dans la joie.

C'est une définition à laquelle j'adhère totalement, elle est valable pour toutes les formes de joie, à commencer par celle que ressentent les enfants dès leur tout jeune âge. Avez-vous observé un petit enfant qui fait ses premiers pas ? D'un seul coup, il se rend compte qu'il parvient à tenir debout tout seul, et même à avancer ; il explose alors de joie. Comme il le fait quand il prononce ses premiers mots et se fait comprendre par ses parents. Comme il le fera chaque fois qu'il accomplira un nouveau progrès en avançant tout simplement dans l'apprentissage de la vie. Plus tard encore, dans sa vie d'adulte, chaque fois qu'il remportera une victoire. Quelle joie de réussir un examen. D'obtenir le poste que l'on désirait ardemment. De guérir d'une maladie, de voir la vie l'emporter sur la mort. Quelle joie quand une rencontre fait grandir notre cœur. Tout événement qui nous fait croître, qui augmente notre puissance vitale, qui nous « tire vers le haut » nous met dans la joie.

Certes, toutes les joies ne sont pas égales en profondeur, ni en intensité ni, surtout, en vérité. Spinoza distingue notamment les joies passives des joies actives. Les joies passives relèvent d'actions dont nous ne sommes que la cause partielle ; ce sont des passions. Elles sont souvent, par ailleurs, le fruit de notre imaginaire : à travers elles, nous croyons en vain augmenter notre puissance. En revanche, nous sommes la cause suffisante des joies actives, c'est la raison pour laquelle elles sont infiniment plus vraies, plus profondes, donc plus durables. Spinoza en donne une illustration par l'amour, qu'il définit comme « une joie qu'accompagne l'idée d'une cause extérieure ». Cependant, l'amour peut aussi être une joie passive (une passion) s'il est lié à une idée « inadéquate », c'est-à-dire s'il est fondé sur une fausse pensée, une méconnaissance de l'autre. C'est le cas lorsque nous tissons des liens avec une personne que nous avons idéalisée et sur laquelle nous avons projeté des attentes infantiles, qui ne tardent pas à produire de la tristesse plutôt que la joie escomptée. Au lieu de nous aider à grandir, de telles relations nous diminuent, voire nous mutilent. À l'inverse, d'autres types de relations amoureuses, prenant appui sur une idée « adéquate », une pensée vraie, une connaissance de l'autre, nous aident effectivement à grandir, nous permettent d'être davantage nous-mêmes, augmentent notre puissance d'exister et sont la source de joies positives.

Cependant, toutes les joies passives ne sont pas forcément négatives. Je pense en particulier à celles suscitées par un processus d'identification, fruit de l'imagination. Par exemple lorsque nous nous identifions à une nation dans le cadre d'une compétition sportive, et que nous « devenons » l'équipe de France ou celle du Brésil. Certes, ces joies ne sont pas les plus nobles, elles ne durent pas particulièrement longtemps, mais elles peuvent être d'une grande intensité.

Et quand la joie du partage se conjugue avec celle de l'identification collective, on connaît les moments les plus forts du vivre-ensemble, dominés par de puissantes vagues d'émotion. Pourtant, Spinoza aurait raison de souligner que ces joies peuvent vite se convertir en tristesse (si notre équipe perd) ou être manipulées, puisqu'elles sont le fruit de l'imagination et d'un mécanisme de projection : nous avons tous en tête ces images effrayantes de foules vibrant face à un leader populiste.

À l'autre bout de cette échelle, à son niveau le plus élevé, Spinoza pose ce qu'il appelle la béatitude – on pourrait aussi dire le bonheur véritable, ou encore la joie permanente –, à laquelle on accède lorsqu'on s'est libéré de la servitude des passions. C'est la joie de la libération, décrite également par les sages de l'Inde. Parvenus à ce stade – grâce à la raison, à l'intuition et à la réorientation de notre désir –, nous ne sommes plus mus par nos affects passifs – notre inconscient, dirait-on aujourd'hui –, mais nous atteignons une joie absolue que rien ne peut éteindre.

Spinoza formule ainsi une éthique, une science morale, distinguant ce qui est bon pour chacun d'entre nous et ce qui ne l'est pas. Cette éthique implique un travail individuel : ce qui est bon pour moi et me met dans la joie pourrait se révéler mauvais pour vous, parce que cela vous plongerait dans la tristesse. Une personne avec laquelle je m'accorde peut être inadéquate pour vous. Et l'inverse est bien sûr vrai.

Ce travail est donc plus difficile qu'il n'y paraît, parce qu'il implique un réel effort – rationnel – de discernement, qui doit permettre une conversion du désir vers les joies les plus actives, donc les plus vraies, les plus profondes et les plus durables. J'y reviendrai de manière plus approfondie dans le chapitre 4, « Devenir soi ».

Parce qu'il pose la joie comme fondement et but ultime de toute éthique, et que cette réflexion n'est pas fondée sur une croyance ou un raisonnement purement abstrait, mais sur une observation et une analyse approfondies de l'être humain, Spinoza nous apparaît non seulement comme le premier grand philosophe de la joie, mais aussi comme celui qui lui donne sa première véritable définition philosophique : elle est, selon lui, le perfectionnement, l'augmentation de la puissance d'exister.

Friedrich Nietzsche

Il faudra attendre un peu plus de deux siècles après Spinoza pour retrouver un philosophe qui place la joie au cœur de sa pensée : c'est Friedrich Nietzsche. À l'instar de Spinoza, il considère la joie comme le critère éthique fondamental qui valide l'action humaine. Et, toujours comme Spinoza, il la considère d'un point de vue purement immanent : la joie ne vient pas d'ailleurs, d'en haut ou de l'au-delà. Elle est inscrite au cœur même du vivant. Il aboutit ainsi aux mêmes conclusions que Spinoza : la joie est la puissance de vie sur laquelle il faut s'appuyer. La tristesse, qui diminue la vie, est néfaste. Mais, contrairement à Spinoza, Nietzsche n'est pas un philosophe systématique. Là où Spinoza a construit un système rationnel fondé sur une métaphysique de la Nature, une tentative d'explication globale du monde, d'où découle son éthique, Nietzsche, lui, refuse toute métaphysique et rejette tous les systèmes philosophiques. Il préfère procéder par apories, par des phrases-chocs. C'est un « déconstructeur », doublé d'un formidable écrivain. Sa force, comme sa faiblesse, réside dans des affirmations brutales, puissantes, dérangeantes, mais pas toujours argumentées et parfois contradictoires (ce qu'il revendique).

Né en 1844 à Röcken, en Prusse, Nietzsche est le fils d'un pasteur protestant. Il a forgé sa pensée en réaction aux milieux ecclésiastiques de son temps marqués par une morale religieuse étouffante qui consiste à réprimer les instincts et les désirs, une morale qui éteint toute joie. Avec la force de son ironie, il lance aux prêtres, aux pasteurs et aux fidèles croyants cette apostrophe cinglante : « Mais vous, si votre foi vous sauve, donnez-vous pour sauvés, vous aussi ! Vos visages ont toujours été plus dommageables à votre foi que vos raisons ! Si la Bonne Nouvelle des Évangiles était écrite sur votre visage, vous n'auriez pas besoin d'exiger aussi obstinément la foi en l'autorité de ce livre : vos œuvres, vos actions, devraient sans cesse rendre la Bible superflue, une Bible nouvelle devrait par vous sans cesse surgir[12]. » Il se livre ainsi à une féroce critique des religions, les « théologies de la tristesse ». Il ne voit à travers elles qu'une morale de répression de l'instinct, du corps, du désir. Des systèmes qui nous malmènent et diminuent la possibilité de la joie. Il en prend le contre-pied radical, appelant à favoriser ce qu'il appelle le désireffort ou l'instinct de pulsion qui fait grandir la vie en nous et nous permet de progresser.

Pour Nietzsche, le principe de joie, c'est la puissance et tout ce qui augmente notre force vitale. C'est l'affirmation de la vie contre la mort, de la santé contre la maladie, de la création contre l'inertie. Sans entrer, comme Spinoza, dans le détail des affects et des désirs, il procède par une affirmation globale, mais il reste attaché à la même idée fondamentale que son prédécesseur : la joie se cultive par un travail sur soi, une sorte d'autothérapie précédée et accompagnée d'une introspection, non pour réprimer les instincts, comme le préconisent les religions, mais, au contraire, pour affirmer tout ce qui nous porte vers la vie, tout désir qui nous épanouit, nous grandit. Il s'agit d'apprendre à reconnaître la multiplicité des sources de joie en soi et de les faire croître. Et pour y parvenir, transmuter progressivement tous nos désirs, nos passions, nos affections. Spinoza affirmait qu'une fois libéré de toutes les servitudes on est dans la joie parfaite, celle de l'homme libre, qui est une joie permanente. Nietzsche le dit d'une autre manière : on aboutit, selon lui, à la *Lust*, la « joie parfaite », lorsqu'on est dans le consentement total à la vie. Dans un état d'esprit où l'on accepte la vie sans rien en refuser, où l'on est capable, insiste-t-il, de dire un « oui » inconditionnel à la vie, y compris sa part négative et douloureuse. Nietzsche souligne que le christianisme assume la dimension tragique de l'existence, mais il rejette sa vision morbide, son insistance sur la nécessité de souffrir pour accéder à la rédemption. Quant au bouddhisme qu'il a étudié, il lui reproche à la fois de refuser la souffrance et de prôner l'extinction des désirs. Entre ces deux voies, Nietzsche en propose une troisième : celle qui consiste à affirmer la vie avec ses souffrances, à lui dire « oui » malgré tout ce qui peut nous entraver, nous blesser, nous effrayer. C'est un oui sacré, un consentement absolu qu'il appelle *amor fati*, c'est-à-dire l'« amour du destin », aimer ce qui nous arrive, et pas seulement le subir. C'est, nous dit-il, la condition de la joie absolue, si différente du bonheur illusoire de la religion. Acceptez-vous vraiment votre vie comme elle est ? Selon Nietzsche, la réponse sera affirmative si vous consentez à la revivre à l'identique. Il propose cette image d'« éternel retour du même » dans le célèbre paragraphe 341 du *Gai Savoir* : imaginons que notre vie, telle que nous l'avons vécue dans ses moindres détails, avec les mêmes problèmes, les mêmes joies, les mêmes rencontres, les mêmes maladies, se reproduise indéfiniment.

Si nous sommes dans un réel consentement, celui qui ouvre à la joie pure, nous accepterons ce recommencement, sans rien regretter.

Cette idée que la joie doive assumer la totalité de l'existence, y compris la souffrance, est probablement l'apport le plus original de Nietzsche et ce qui le distingue le plus de Spinoza. Mais Nietzsche a aussi insisté, beaucoup plus que son prédécesseur, sur le lien entre l'art et la joie. Il existe à cet égard chez Nietzsche une sorte d'esthétique de la joie : par l'acte créatif, l'art constitue l'expérience privilégiée de la joie et nous offre le modèle d'une vie réussie qui consiste, à travers un processus permanent d'autocréation, à faire de sa vie une œuvre d'art.

Henri Bergson

Après les précurseurs que furent Spinoza et Nietzsche, un troisième homme a suivi la voie qu'ils avaient ouverte. Comme ses deux prédécesseurs, le Français Henri Bergson, né à Paris en 1859 (il est mort en 1941), peut être considéré comme un « philosophe de la joie », même si je le qualifierais plus volontiers de « philosophe de la vie » ou « du vivant ». Cependant, il existe une profonde continuité entre ces trois penseurs : l'affirmation de la puissance vitale et de sa manifestation, la joie. « La nature nous avertit par un signe précis que notre destination est atteinte. Ce signe est la joie[13] », écrit Bergson.

Dans son grand livre, *L'Évolution créatrice,* Bergson défend l'idée d'une loi fondamentale de la vie et de l'évolution depuis des millions d'années : la loi de la création. La vie, dit-il, existe pour être créatrice. Et la joie est intrinsèquement liée à la création, elle est l'expérience d'aboutissement de la vie : quand la vie réussit, quand elle atteint ce pour quoi elle est faite, on est dans la joie ; quand la vie échoue, on est dans la tristesse. Il cite, en exemples d'actes créateurs, l'artiste qui réalise une œuvre, le chef d'entreprise qui mène à bien un projet, la mère qui donne naissance à un enfant et le voit sourire : ce n'est pas, dit-il, uniquement ce sourire qui suscite la joie de la mère, mais le fait qu'elle ait donné la vie, qu'elle ait créé. De même, ce n'est pas simplement le profit qui réjouit le chef d'entreprise, mais le fait, là aussi, d'avoir créé une société qui se développe.

Si, comme Spinoza, Bergson considère que c'est l'affirmation de la vie qui provoque la joie, il reprend à Nietzsche, en le rapportant à sa propre pensée vitaliste, le rôle primordial du processus créatif. Bergson est, en revanche, très critique à l'égard de ce que Spinoza appelle les joies passives, celles de l'imagination, qui ne sont pas liées à un accomplissement créatif. Pour lui, il ne s'agit pas de véritables joies, mais de plaisirs qui peuvent certes être intenses, mais ne méritent pas le noble nom de joies. Alors que la joie est liée à la conquête de la vie, le plaisir n'est lié, dans le processus d'évolution de la vie, qu'à la nécessité de survivre. C'est parce que nous y trouvons du plaisir que nous nous maintenons en vie, que nous mangeons, que nous nous reproduisons, que nous tenons à l'existence. « Le plaisir, écrit-il, n'est qu'un artifice imaginé par la nature pour obtenir de l'être vivant la conservation de la vie ; il n'indique pas la direction où la vie est lancée. Mais la joie annonce toujours que la vie a réussi, qu'elle a gagné du terrain, qu'elle a remporté une victoire : toute grande joie a un accent triomphal[14]. »

3

Laisser fleurir la joie

La joie est une puissance, cultivez-la[15].

LE DALAÏ-LAMA

La joie ne se commande pas, elle s'invite. On ne peut pas décider d'être soudain en joie. Nul n'a prise sur cette émotion qui n'apparaît que lorsque certaines conditions sont réunies. Nous verrons ainsi dans les prochains chapitres comment accéder à une joie active et permanente à travers un processus de libération et de communion, de déliaison et de reliaison. Mais ne pourrait-on déjà, par un état d'esprit ou des comportements spécifiques, favoriser l'émergence de joies profondes, même si elles restent encore éphémères ? Serait-il possible de créer un climat qui permette à la joie d'advenir et de s'épanouir ? Comme le dit l'écrivain Mathieu Terence : « La joie n'est pas volontaire. Elle ne se décide pas, pas plus qu'elle ne se décrète. Il faut fuir comme la peste ceux qui en vendraient la recette. En revanche, la joie exige un climat favorable : un état d'esprit pareil à un état de grâce. Le climat favorable se favorise[16]. »

J'ai en effet pu constater qu'il existe un état d'esprit, un certain nombre d'attitudes, de manières d'être, qui nous permettent de créer ce terreau propice à la venue de la joie. J'en retiendrai ici quelques-unes, mais on pourrait bien entendu en ajouter d'autres : l'attention, la présence, la méditation, la confiance et l'ouverture du cœur, la bienveillance, la gratuité, la gratitude, la persévérance dans l'effort, le lâcher-prise, la jouissance du corps.

L'attention

L'attention, c'est d'abord ce qui nous permet d'être reliés à nos sens. Bien souvent, nous sommes accaparés par mille tracas et, l'esprit ainsi encombré, nous ne sommes guère attentifs à ce que nous vivons. Nous travaillons tout en pensant à autre chose, au dîner du soir ou au prochain week-end. Nous cuisinons, mais nos pensées vagabondent vers les dossiers qui s'empilent sur notre bureau. Nous nous promenons, mais nous sommes ailleurs. Or, si nous admirons un paysage en pensant à la feuille de sécurité sociale que nous n'avons pas encore remplie, il y a très peu de chances que la joie advienne en nous !

La joie est souvent déclenchée par une expérience sensorielle. Si nous regardons ce même paysage en étant attentifs à l'harmonie des formes, à la perspective, aux couleurs, à la lumière, aux parfums, aux bruits (ou au silence), nous pouvons peut-être, car rien n'est garanti, nous sentir envahis par une émotion de joie, parce que la beauté de la nature nous touche en profondeur. Les plus grandes joies que j'ai ressenties dans ma vie sont souvent nées ainsi. Quand je me promène, mes sens sont en éveil, je guette un rayon de lumière dans un sous-bois, un mouvement de houle sur l'océan, une perspective qui s'ouvre au hasard d'une randonnée en montagne. Regarder, écouter, toucher, sentir, goûter : c'est avant tout ce qui prédispose à la joie, lui donne l'opportunité d'advenir. Pourquoi ? Parce que lorsque nous sommes attentifs, nous nous laissons habiter par nos sens, par ce que nous écoutons, sentons, contemplons. Nous sommes dans l'ici et le maintenant. Il m'arrive souvent d'écouter de la musique en travaillant ou en me livrant à une autre occupation. Dans ces moments-là, la force des notes me transporte rarement. Mais il m'arrive heureusement aussi de me concentrer uniquement sur la musique. Et, les yeux fermés, dans le noir, je déguste la *Messe en ut mineur* de Mozart, *The Lamb Lies Down on Broadway* de Genesis, le *Miserere* d'Allegri, *Songs from a World Apart* de Levon Minassian, les *Variations Goldberg* de Bach, *Tubular Bells* de Mike Oldfield, *Corpus Christi II* de Logos ou le *Köln Concert* de Keith Jarrett, et tant d'autres encore. Je me laisse remplir par la musique. Et, parfois, la joie surgit en moi.

J'apprécie d'autant plus les joies sensorielles qu'il m'a fallu un long cheminement avant de réussir à les appréhender. Enfant, j'ai connu certaines souffrances d'ordre affectif qui m'ont conduit à me réfugier dans mes pensées, dans l'imaginaire. Je me suis donc en partie déconnecté de mes émotions et de mes perceptions sensorielles. Jeune adulte, j'ai dû suivre une thérapie de la perception, la méthode Vittoz, et j'ai réappris à toucher et à décrire ce ressenti, c'est-à-dire à accueillir et à identifier les émotions qui accompagnent les perceptions. J'étais sorti de mon corps, je me suis entraîné à l'habiter. Cela impliquait aussi, pour moi, d'accepter la souffrance, les perceptions désagréables, les émotions négatives dont je me protégeais en les fuyant. Cette thérapie m'a aidé ; je l'ai complétée, une dizaine d'années plus tard, par une Gestalt-thérapie qui m'a permis de ressortir des émotions refoulées, enfouies dans ma mémoire corporelle, de travailler sur elles, d'éprouver des colères, des tristesses, des peurs. Pour l'avoir ainsi vécu, je suis convaincu que tel est le premier pas à effectuer pour accueillir la joie. Il nous faut réapprendre à voir, à toucher, à regarder, à sentir, mais aussi à ressentir intérieurement, à ne pas nous couper de nos émotions. Pour cela, il faut aussi savoir donner du temps aux choses. La joie naît rarement d'un simple choc, d'une sensation fugitive, d'un paysage entraperçu, de trois notes captées en passant. Il s'agit de laisser notre corps et notre esprit se faire envahir par nos sensations pour que naisse la joie. Mais cette connexion à nos sens implique aussi de consentir à la possibilité d'émotions plus négatives, comme la tristesse, la colère ou la peur.

La présence

Thich Nhat Hanh, un grand maître bouddhiste vietnamien qui vit depuis 1969 en France, a coutume, quand on l'interroge sur les meilleures techniques de méditation, de répondre ceci : lavez votre bol, mais faites-le comme si vous laviez le bébé Bouddha. Mère Teresa avait elle aussi son propre mantra : quand vous soignez un lépreux, faites-le comme si vous soigniez le Christ. Ces deux grands témoins nous offrent une précieuse leçon : l'importance d'une totale présence-attention à chacune de nos actions, si banale soit-elle, comme si elle représentait la chose la plus importante au monde. Ce qu'ils nous demandent, c'est d'avoir une qualité de présence.

L'attention nous éduque à la présence. Mais la présence va au-delà du simple fait d'être attentif. Elle est une attention qui engage tout notre être : nos sens, mais aussi notre cœur et notre esprit. On est attentif quand on regarde bien, quand on écoute bien, quand on goûte bien. La présence n'est pas seulement sensorielle. Elle n'est pas une forme de réceptivité ordinaire. Elle consiste à accueillir, avec générosité, le réel, le monde, autrui, parce qu'on sait qu'ils peuvent nous enrichir intérieurement, peut-être même nous procurer de la joie, mais aussi parce qu'on peut leur donner quelque chose en retour : un apprentissage, une joie.

Ce qui fait la valeur d'une vie n'est pas la quantité de choses que nous y avons accomplies, mais la qualité de présence qu'on aura placée dans chacune de nos actions. Dans nos sociétés occidentales contemporaines, la quantité prime toujours, nous sommes tous avides de multiplier les expériences : c'est à cette aune que l'on estimera avoir eu une vie riche. Lorsqu'ils voyagent, certains recherchent les « circuits » les plus complets, ceux qui leur permettent de visiter, ou plutôt de survoler au pas de course le plus grand nombre de pays, de villes, de musées. Beaucoup ne prennent pas la peine de regarder, de savourer ce qu'ils découvrent : à peine arrivés dans un lieu, ils se jettent sur leur appareil photo pour prendre un selfie, lancent un coup d'œil aux monuments, aux paysages pour constater qu'ils ressemblent bien aux cartes postales et repartent aussitôt. Je fuis ce genre de voyages et, lorsque je visite un lieu, j'ai décidé depuis longtemps, de ne plus prendre de photos, ou bien alors seulement au moment de repartir d'un site que j'ai pu longuement apprécier, sentir, déguster, sans autre préoccupation. Et combien de belles joies j'ai pu ainsi goûter !

Lors de mes voyages, je suis également frappé de voir des colonnes de touristes « visiter » un pays sans jamais prendre le temps – sans même en éprouver le besoin, semble-t-il – de parler à ses habitants : aux marchands de rue, aux conducteurs de bus, bref, à toutes ces personnes qu'ils côtoient sans un regard ni un mot pour elles.

Après la chute du régime de Ceausescu, en Roumanie, on a vu défiler sur nos écrans de télévision les images effrayantes, insoutenables, d'orphelinats où des milliers d'enfants étaient entassés, oubliés de tous. Ces petits-là souffraient de bien des maux. Le plus terrible, on le voyait sur les visages, sur les corps, était l'absence d'attention. Le manque de présence. Personne n'avait porté sur eux un regard d'amour, ne les avait rendus présents au monde. Outre l'évidence des premiers soins, de la nourriture, d'un abri, créer cette relation, instaurer cet échange était pourtant une des conditions de leur survie. On sait qu'un bébé qui n'a pas eu d'amour, de paroles, de présence affective, d'attention durant les premiers mois de sa vie en gardera de lourdes séquelles.

Comme d'autres jeunes, après mon bac, j'ai voulu voyager et m'engager quelque temps dans une action humanitaire. Je suis parti en Inde où j'ai œuvré, à Calcutta, dans un mouroir fondé par Mère Teresa. Le personnel d'encadrement était très préoccupé par la logistique, l'ordre, les diverses tâches administratives et ménagères : l'organisation des dortoirs, de la cuisine, le respect des horaires. Malgré ce fonctionnement efficace, je me sentais mal à l'aise. Les personnes mourantes, allongées les unes à côté des autres sur des nattes à même le sol, avaient été pour la plupart recueillies par les missionnaires de la Charité dans la rue. Elles recevaient bien sûr toutes sortes de soins, mais ce n'est pas ce qui les réconfortait le plus. Un matin, j'ai eu envie de m'arrêter, je me suis approché d'un homme mourant, je me suis assis près de lui. Je lui ai pris la main. Je lui ai parlé. Certes, il ne me comprenait pas : je m'exprimais en français, il ne connaissait que le hindi. Mais peu importait : j'établissais ainsi une relation. J'ai commencé à lui masser la tête avec douceur. Nous ne nous sommes pas quitté des yeux. Je continuais de toucher sa nuque, ses épaules, son visage. Des larmes se sont mises à couler le long de ses joues creusées. Je sentais monter en lui une joie qu'il me transmettait progressivement, et je fus bientôt, à mon tour, envahi de joie. Là, j'ai vraiment compris que le plus important dans ces moments est tout simplement d'être présent à l'autre. Tenir une main, caresser un visage, parler, rester dans une ouverture du cœur et dans une qualité d'être. En retour, on ressent très profondément ce que l'autre nous donne : un regard, un sourire qui nous bouleversent. Après cet épisode, j'ai demandé aux responsables du mouroir de me décharger de certaines activités matérielles pour pouvoir me consacrer totalement à l'accompagnement des personnes, pour leur offrir ma seule présence.

La méditation

L'une des expériences qui peuvent nous aider à développer nos qualités d'attention et de présence est l'exercice de la méditation. Je m'y suis initié en Inde, dans le contexte bouddhiste, auprès de lamas tibétains, à la même époque où je m'étais engagé auprès des mourants de Calcutta.

Je m'étais rendu à Dharamsala, petite ville du nord de l'Inde où siège le gouvernement tibétain en exil, et où le dalaï-lama ainsi qu'un certain nombre de ses compatriotes ont trouvé refuge. Je ressentais le besoin de cette initiation. Les bases de la méditation sont très simples. Il suffit de s'asseoir dans la position qui nous convient, dans un lieu où l'on ne sera pas dérangé, de bien respirer, de faire silence à l'intérieur de soi et d'observer ce qui se passe. On reste attentif à soi et au monde : on entend des bruits, on ressent sa respiration, on prend conscience de son corps, de l'ancrage corporel. Si on éprouve une douleur, on la constate, on ne s'y attarde pas. On respire sans se focaliser sur sa respiration. Nos pensées arrivent, elles passent, on les observe sans s'y attacher. Au fil du temps, elles se font de plus en plus rares… Depuis près de trente-cinq ans, je pratique chaque jour ce qui me semble être un véritable exercice de l'attention. Parfois, je ne dispose que de quelques minutes. D'autres jours, je médite une demi-heure ou plus.

Je me réjouis que se développe aujourd'hui en Occident la pratique d'une méditation totalement laïque, appelée la « pleine conscience ». Grâce, entre autres, au psychiatre Christophe André, elle est même pratiquée en France, dans beaucoup d'hôpitaux psychiatriques, où elle fait de plus en plus partie désormais des outils thérapeutiques. Elle procure une aide considérable aux patients : plutôt que de ruminer dans leurs imaginaires désordonnés, ils réapprennent ainsi à se connecter à leurs sensations, à se stabiliser. On médite aussi dans les prisons, dans certaines entreprises, voire les écoles. J'ai un seul regret : je me méfie du terme « pleine conscience » qui, en français, est entaché d'une certaine ambiguïté. Selon notre définition cartésienne, la conscience est réflexive. Or, la pleine conscience ne consiste ni à penser ni à réfléchir, mais simplement à être attentif. En anglais, cette pratique se dit *mindfulness*. Je préférerais la nommer « pleine attention ». Ce terme me semble plus judicieux, puisque cette méditation consiste à être de simples observateurs de ce qui se passe en nous, sans chercher à comprendre ni à réfléchir. L'un de ses principaux objectifs est de développer une qualité d'attention et de présence : grâce à cette pratique, on devient généreusement attentif, y compris à soi-même. Et on voit émerger tant de choses ! Au cours de cet exercice, des émotions se libèrent, des lumières surgissent et des joies profondes peuvent même advenir. Ce sont souvent des joies sans cause, qui ne sont reliées à aucune pensée, à aucun objet en particulier, mais simplement au fait d'être là, d'exister, d'être présent de manière bienveillante et attentive à soi-même et au monde, dans une totale disponibilité. Quand une telle joie survient en moi, je ne bondis pas, je ne saute pas, je n'applaudis pas, je continue de méditer. Immanquablement, je sens se dessiner un large sourire sur mon visage, et, si j'ouvrais les yeux, mon regard serait sans doute lumineux. Une respiration très ample, très profonde s'installe en moi, et il m'arrive de ressentir le besoin d'écarter lentement les bras dans un geste d'accueil, comme si j'allais à la rencontre d'un ami cher. Parfois, plus rarement, monte du plus profond de mon esprit de la tristesse. À la place du sourire, ce sont des larmes qui coulent. C'est, je le sais, le prix à payer de l'attention et de l'ouverture. Mais ces larmes-là ne laissent aucun goût d'amertume.

La confiance et l'ouverture du cœur

Ouvrir son cœur, c'est accepter de vivre dans une certaine vulnérabilité, accepter la possibilité de tout accueillir, y compris celle d'être blessé. C'est prendre le risque de vivre pleinement. Or, nous préférons bien souvent nous cloisonner, nous protéger, nous contenter de survivre.

J'ai rencontré dans ma vie bien des personnes qui, à des degrés divers, s'étaient, comme je l'ai déjà évoqué à mon propos, « blindées », qui avaient verrouillé leurs émotions, et avaient parfois entouré leur cœur d'une sorte de gangue de protection afin de ne plus souffrir[17]. Elles souffraient moins, bien sûr, mais elles s'étaient aussi interdit l'accès aux joies profondes de l'amour. Accepter la douleur, c'est le prix à payer pour une vie émotionnelle riche. Une vie qui vaut la peine d'être vécue. Un cœur fermé restera hermétique à tout, y compris à la joie.

Il nous arrive parfois d'être abordés dans la rue par des inconnus. En général, une personne sur deux se détourne et poursuit son chemin – au moins deux sur trois dans les grandes métropoles ! Nous prétextons presque toujours un manque de temps, alors que le plus souvent nous avons tout simplement peur. Peur que cet inconnu nous dérange, nous agresse, nous demande de l'argent – en réalité, il est plus fréquent qu'il ait juste besoin d'un banal renseignement. J'ai pris la décision de ne jamais me fermer à ce premier contact : quand on m'aborde, je prends au moins une poignée de secondes pour savoir ce que l'on me veut. Accueillir un remerciement ou une remarque critique, s'il s'agit d'un lecteur qui m'a reconnu, indiquer à mon interlocuteur une direction ou l'adresse de la pharmacie la plus proche, ou simplement sourire ou donner quelques pièces si la personne est en détresse. J'ai ainsi eu la chance de faire de merveilleuses rencontres parmi ces « inconnus de la rue » qui m'ont profondément touché. Ces liens minuscules m'ont agrandi le cœur et rendu joyeux.

Pour ouvrir son cœur, il faut avoir confiance dans la vie. Cette confiance s'acquiert dès les premières heures de l'existence, grâce aux parents. Encore faut-il qu'ils aient eu eux-mêmes confiance pour donner la vie et se lancer dans cette aventure... Les enfants leur accordent spontanément une confiance inconditionnelle. Mais parce que nous avons été échaudés, parce que nous avons souffert, parce que nous avons eu des expériences douloureuses ou traumatisantes, nous perdons parfois, par la suite, cette confiance en la vie. Nous avons alors tendance à nous méfier de l'extérieur, de l'inconnu, du monde en général. Il est pourtant essentiel de surmonter ses peurs, de soigner ses blessures pour apprendre à retrouver cette confiance, car c'est elle qui nous permet d'avancer. Nous demeurons, en cela, tels des enfants : sans confiance, on ne peut progresser. Et comme nous l'avons vu, les vraies joies naissent de cette sensation de progrès, d'assurance et sont amplifiées par le sentiment du partage.

La joie vient souvent frapper à notre porte à l'improviste. Soyons suffisamment attentifs, présents, ouverts pour l'accueillir et la savourer. Bien sûr, cela ne signifie pas qu'il faille tout accueillir béatement et être ouverts à tout ! Il est important d'apprendre à développer notre intuition et notre capacité de discernement afin de nous éloigner d'une situation ou d'une personne qui pourraient nous être nocives. Mais la joie ne se cultive pas dans la pénombre, elle se déploie au grand jour, au hasard de l'autre.

La bienveillance

Dans ses fondements originels, le bouddhisme n'est pas une sagesse de la joie, mais une sagesse du renoncement au désir. Pourtant la joie, *mutida*, n'est pas absente, tant s'en faut, de sa pratique. La statuaire nous le rappelle : les statues bouddhistes nous montrent des visages souriants, parfois empreints de joie – au contraire des statues grecques et romaines qui, pour superbes qu'elles puissent être, ne transmettent pas cette félicité intérieure.

Dans le bouddhisme, la joie est surtout évoquée lorsqu'elle envahit le pratiquant qui progresse dans le dharma, cette voie qui conduit à l'Éveil. On retrouve ici l'idée spinoziste de la joie qui accompagne toute progression, toute victoire, tout perfectionnement de l'être. La tradition bouddhiste explique également que la joie a deux ennemies : une proche et une lointaine. L'ennemie proche est l'euphorie, cette joie superficielle suscitée par un attachement aux plaisirs mondains. C'est la joie passive décrite par Spinoza. L'ennemie lointaine est l'envie, cette passion triste liée à la réussite ou au bonheur d'autrui. La joie, au contraire, est le fruit d'un amour altruiste qui consiste à se réjouir du bonheur de l'autre. Cet amour et la joie qui l'accompagne prennent racine dans la bienveillance, *maitri* en sanskrit, que ressent le pratiquant envers tout être vivant. Ce sont les parents qui se réjouissent des progrès de leur enfant, les amis ou les amants que la réussite de ceux qu'ils aiment met en joie, mais c'est aussi une joie que l'on peut ressentir pour tout être qui grandit, qui s'épanouit, qui s'accomplit. Cette joie bienveillante constitue le meilleur remède contre le sentiment d'envie ressenti par beaucoup d'êtres humains devant le succès ou le bonheur des autres… ce qui est particulièrement courant dans nos sociétés occidentales, et surtout en France ! Au lieu de les jalouser, on va applaudir à leur réussite. Au lieu de laisser se développer tristesse et ressentiment, on va orienter notre esprit vers la joie. Au lieu de dénigrer ceux qui réussissent, on va se réjouir publiquement de leur succès. Cela implique de sortir de la logique maladive de la compétition. Pourquoi passer son temps à se comparer, à se jauger ? Cette personne est-elle plus belle que moi ? Et celui-ci, gagne-t-il plus d'argent ?

La comparaison et la jalousie sécrètent du malheur, alors que se réjouir des qualités et de la réussite d'autrui est source de joie, nous confirment à juste titre les bouddhistes.

La gratuité

Nous évoluons aujourd'hui dans un monde où l'idée même de gratuité ne cesse de se pervertir. D'un côté, les industriels nous offrent de plus en plus de services ou d'informations dits « gratuits », c'est-à-dire payés par nos propres données ou par la publicité qu'on nous inflige ; de l'autre, nos activités, nos expériences sont de plus en plus motivées par la perspective d'un gain en argent, en réussite sociale, en reconnaissance… « À quoi ça sert ? », se demande-t-on quasi systématiquement avant d'entreprendre quelque chose, même hors de notre cadre professionnel.

À notre décharge, nous sommes pris par l'accélération de nos rythmes de vie, nous avons de moins en moins de temps, la performance est exigée de nous à tous les niveaux, et nous considérons n'avoir d'autre choix que de privilégier l'utile. Cette course est certainement l'une des causes de la diminution, voire de l'absence de joie dans nos vies. C'est un phénomène que j'observe depuis bien longtemps à Paris, où si peu d'individus sont joyeux. Je l'ai aussi fortement ressenti lors d'un séjour de deux mois à New York, au printemps 2015. Au-delà de l'accueil toujours très chaleureux des personnes que j'ai rencontrées, je n'ai pas perçu par la suite de vraie joie chez la plupart d'entre elles. Mais comment pourrait-il en être autrement ? J'ai vu tant de gens stressés, voire épuisés, soumis à une constante pression professionnelle et sociale, ne prenant jamais de vacances pour se ressourcer.

Pour que la joie puisse fleurir, ne restons pas dans cette constante dimension utilitaire qui nous interdit l'ouverture et la disponibilité. La joie survient bien souvent quand on n'attend rien, quand on n'a rien à gagner. J'ai fréquemment l'occasion de faire des conférences ou des séminaires devant un public nombreux. Je suis parfois rémunéré, même si je demande toujours aux organisateurs de permettre un accès à prix modéré, voire gratuit, à ceux qui disposent de très faibles ressources. Mais, à côté de ces moments utiles, je m'attache à accepter des demandes de petites associations, de librairies de quartier, qui connaissent bien mon travail et insistent, parfois pendant des années, pour que je vienne m'exprimer chez eux. Or ces rencontres, qui ne me rapportent rien sur le plan matériel, sont souvent des moments très chaleureux de joie partagée. J'ai ainsi répondu récemment à la demande très touchante d'Emmanuelle, une jeune femme qui venait d'ouvrir une toute petite librairie, une simple pièce dans la banlieue de Bastia, au milieu des HLM, et qui souhaitait me recevoir. Faute de place, elle avait loué une salle municipale, pensant accueillir une cinquantaine de personnes et dans laquelle nous nous sommes retrouvés quatre cents, la plupart debout ! J'en conserve un seul souvenir : la joie communicative, presque palpable, qui nous avait tous gagnés.

Après avoir quitté ma profession d'éditeur pour me consacrer totalement à l'écriture, j'ai connu une époque, il y a de cela une vingtaine d'années, où j'avais le temps de vivre. Où la gratuité du temps m'était naturelle. Puis mes livres ont commencé à rencontrer un certain succès, j'ai été de plus en plus sollicité et j'ai aussi assumé de nouvelles responsabilités dans les médias. Je me suis également endetté pour acheter une belle maison dans le sud de la France, et il me fallait travailler toujours davantage pour rembourser l'emprunt et répondre à de multiples demandes. Mes moments de temps libre se réduisaient comme peau de chagrin, et mes moments de joie s'étiolaient. J'ai alors pris la décision de quitter la revue que je dirigeais, *Le Monde des religions*, de me rendre moins présent sur les ondes, de limiter le nombre de mes interventions publiques, mais aussi de vendre ma propriété pour me désendetter et acheter à la place une maison beaucoup plus modeste. À présent, s'offrent à moi des plages de temps qui m'appartiennent pleinement, où je n'ai rien à faire d'urgent, où mon esprit est libre de toute préoccupation, où j'ai aussi l'occasion d'être confronté à moi-même, ce que la suractivité permet d'éviter. Du coup, j'ai retrouvé la joie de profiter de la nature, de voyager, de flâner en ville, de traîner dans une librairie. J'ai redécouvert le bonheur de faire tout ce que j'avais progressivement perdu l'habitude de faire. Je m'ouvre à nouveau gratuitement à la vie.

La gratitude

J'ai conscience d'avoir beaucoup reçu de la vie. J'ai eu la chance d'avoir des parents cultivés auprès desquels j'ai énormément appris. Lorsque j'étais enfant, mon père passait généreusement une bonne part de son temps libre à nous lire des livres. Quand j'ai atteint l'adolescence, il m'a fait découvrir la philosophie. Ce fut une révélation. La lecture des dialogues socratiques, puis d'Épicure et des stoïciens m'a ouvert à un questionnement existentiel qui ne m'a plus quitté : qu'est-ce qu'une vie bonne, réussie ? quelles sont les valeurs qui peuvent orienter et guider notre vie ? comment concilier le corps et l'esprit ? un bonheur durable est-il possible ? comment réagir face à l'épreuve du mal, de la souffrance ? existe-t-il en l'être humain une part immortelle ?

Notre famille était assez aisée et je n'ai manqué de rien sur un plan matériel. Je suis plutôt en bonne santé, j'ai de nombreux amis à travers le monde et j'ai le bonheur de vivre de ma passion (au sens courant et non spinoziste du terme) : l'écriture. Je remercie chaque jour pour tout cela. C'est la source ou le mystère profond de la vie – quel que soit le nom qu'on lui donne – que je remercie ainsi. Remercier simplement d'être là, d'être en bonne santé, de faire le travail qu'on aime, de rencontrer des personnes qui nous apprécient et nous aident à grandir. Ce sont autant de cadeaux de la vie. N'attendons pas de vivre une épreuve pour en avoir conscience. « J'ai reconnu le bonheur au bruit qu'il a fait en partant », a si justement écrit Jacques Prévert.

J'en ai pris conscience un matin où je m'étais réveillé avec un torticolis. J'avais mal, j'ai commencé à pester, avant de prendre conscience que je m'étais réveillé des milliers de fois en bonne forme et sans torticolis. Comme autant de miracles ! Depuis ce jour, c'est devenu une habitude : en me réveillant, je commence ma journée en remerciant. Et cela me met en joie. Dans mon lit ou dès que j'en sors, je dis merci à Dieu, puisque c'est le nom que j'accepte de donner au mystère de la vie. Mais on peut se contenter d'un « merci à la vie ». Merci d'être en vie, d'avoir envie de vivre cette journée, d'avoir tant de possibilités de me réjouir. Je ne peux plus commencer une journée sans exprimer cette gratitude. Je fais la même chose quand je vais me coucher.

Il fut un temps – pendant de trop longues années – où je n'arrivais pas à m'endormir. Au moment de fermer les yeux, tous les soucis de la journée me revenaient en tête. Plutôt que de lâcher prise, j'envisageais des solutions, des regrets surgissaient et autant de nouveaux problèmes. Notre mémoire retient davantage le négatif que le positif. Cette aptitude est liée au processus même de l'évolution : pour survivre, l'être humain a appris à mémoriser les dangers, les peurs. Mais nous ne sommes plus à l'âge des cavernes ! Nous devons nous entraîner à sortir de ce processus biologique inconscient, voire à l'inverser, et mémoriser d'abord les bons moments. Une amie québécoise, Christine Michaud, qui enseigne la psychologie positive, m'a donné ce petit truc : juste avant de s'endormir, se remémorer et ressentir de la gratitude pour cinq événements positifs – même minimes – qui se sont déroulés au cours de la journée : une bonne nouvelle, une rencontre agréable, une lecture, quelques moments de plaisir. Depuis, je m'endors beaucoup mieux, souvent le cœur en joie.

La gratitude, c'est d'abord remercier la vie, ne pas se montrer ingrat envers elle, mais c'est aussi savoir lui rendre ce qu'elle nous a donné. La vie est un échange permanent. Nous recevons, apprenons à donner. Et donner, c'est aussi transmettre. Y compris un savoir. J'ai choisi d'écrire des livres que l'on appelle « grand public », car accessibles, lisibles par tous, plutôt que les ouvrages savants auxquels me destinait ma formation universitaire. J'ai publié de tels livres et dirigé trois encyclopédies – et heureusement qu'il en existe –, mais bien peu sont ceux qui les lisent. J'ai préféré transmettre à un large public des éléments de réflexion philosophique, psychologique et spirituelle qui m'avaient aidé à mieux vivre. J'ai souhaité que ceux qui n'avaient pas pu passer des années, comme moi, le nez plongé dans les textes de Platon ou d'Aristote, de Spinoza ou de Jung, du bouddhisme ou de la Bible, puissent quand même les découvrir et appréhender leurs messages de sagesse. J'avais ces outils, je les ai mis à la disposition d'un grand nombre de lecteurs. Transmettre le savoir fait partie de l'échange fondamental de la vie, et cette joie-là vaut bien de supporter les quelques critiques ou jugements négatifs de ceux qui ne veulent voir dans cette démarche qu'une dégradation du savoir ou une simple recherche de profit.

La persévérance dans l'effort

Bergson fait remarquer que les grandes joies créatives, les seules qu'il considère vraiment, sont toujours le fruit d'un effort. Et il lie cet effort à la résistance qu'oppose la matière : « La matière provoque et rend possible l'effort. La pensée qui n'est que pensée, l'œuvre d'art qui n'est que conçue, le poème qui n'est que rêvé, ne coûtent pas encore de la peine ;

c'est la réalisation matérielle du poème en mots, de la conception artistique en statue ou en tableau, qui demande un effort. L'effort est pénible, mais il est aussi précieux, plus précieux encore que l'œuvre où il aboutit, parce que, grâce à lui, on a tiré de soi plus qu'il n'y avait, on s'est haussé au-dessus de soi-même[18]. » J'adhère totalement à ce propos, et je l'élargirais à tout travail qui nous a demandé un effort. La persévérance dans l'effort jusqu'à la réalisation de notre projet est presque toujours source de joie. Je me souviens de celle qui m'a envahi lorsque j'ai mis un point final à ma thèse de doctorat après sept ans de travail !

Au printemps 2015, j'ai aussi connu une grande joie, à New York, qui est venue couronner un effort prolongé et coûteux. Depuis des années j'étais invité à donner des conférences dans divers pays anglophones, or mon niveau d'anglais, trop scolaire, me l'interdisait et j'en avais toujours éprouvé un vif regret. Et puis, un jour, mon éditeur français m'a annoncé qu'une maison d'édition américaine souhaitait publier mon ouvrage *Du bonheur, un voyage philosophique* et organiser une importante tournée de promotion… à la condition expresse que je puisse la faire en langue anglaise ! Une force en moi m'a poussé à répondre : « Oui, je le ferai », tout en sachant que j'en étais parfaitement incapable. Le compte à rebours s'est alors enclenché : il me restait six mois pour apprendre à parler anglais à peu près couramment... Pendant quatre mois, j'ai suivi chaque jour des cours de conversation sur Skype, j'ai repris les bases de la grammaire, appris des centaines de mots utiles à mon domaine et, pour finir, je suis parti vivre deux mois en immersion à New York. L'épreuve de vérité eut lieu lors de ma première interview sur la plus importante chaîne de radio publique de l'État de New York. Au moment d'entrer dans le studio, j'étais terriblement angoissé. Pendant trente minutes, j'ai répondu en direct aux questions du journaliste et des auditeurs. Tout s'est très bien passé et mon attachée de presse m'a vivement félicité. Lorsque je me suis retrouvé seul sur le trottoir, une immense émotion m'a envahi. J'ai levé les bras au ciel et j'ai remercié. Ma joie était à la mesure de l'effort consenti et de l'angoisse surmontée.

Nous avons tous fait l'expérience de ces belles joies, fruits de la persévérance dans l'effort.

Le lâcher-prise et le consentement

Nous ne supportons plus l'aléatoire, le hasard, l'impondérable. Nous voudrions – même si c'est un fantasme – avoir le contrôle absolu de notre vie. On se cramponne, on s'agrippe, on réfléchit tout le temps, on analyse le passé pour essayer de saisir ce qui n'a pas marché, pour mieux se projeter dans le futur et tenter de le maîtriser. On refuse que le moindre rouage du présent nous échappe. L'inverse de cette attitude est le « lâcher-prise ». Il consiste, lorsqu'on se rend compte que l'on ne peut modifier le cours d'un événement, à accepter celui-ci plutôt que d'y réagir avec colère, de ressasser des regrets, de nous laisser envahir par des émotions négatives.

J'ai déjà évoqué la sagesse stoïcienne qui nous invite à ne pas lutter vainement contre les événements de la vie qui ne dépendent pas de nous. Le lâcher-prise, dans ce sens, n'est pas du fatalisme, mais une prise de distance, une forme de détachement. Il est l'acceptation de la vie. Ainsi, lorsque nous sommes confrontés à une difficulté que nous ne pouvons résoudre et que nous acceptons les choses comme elles sont, nous sommes en mesure de nous laisser gagner par la joie. Celle-ci est liée au progrès de la conscience, à l'effort qu'elle a fait pour surmonter une colère, une angoisse, une crispation, et à la victoire qu'elle a obtenue.

J'ai pu mesurer cette sensation de façon très concrète il y a une dizaine d'années. Je circulais alors parfois avec ma voiture dans Paris. Un jour où je devais courir de rendez-vous en réunions importantes, je l'avais prise, pensant ainsi gagner du temps. Mais j'étais en retard pour déjeuner avec mon éditrice allemande, et je m'inquiétais de lui faire d'emblée mauvaise impression. Dans ma précipitation, je me suis garé n'importe comment, et ce qui devait arriver arriva : quand je suis sorti du restaurant, ma voiture avait disparu, embarquée par la fourrière. La colère m'a envahi. J'ai pensé à la contravention que j'allais devoir payer, au temps perdu pour récupérer mon véhicule, aux rendez-vous décisifs que j'allais rater. J'ai commencé à pester et, d'un seul coup, le souvenir agréable de mon déjeuner et le plaisir de cette rencontre se sont évaporés. Soudain, une petite voix m'a chuchoté : « l'affaire est-elle si grave pour que tu te mettes dans cet état ? » J'ai levé les yeux, poussé un soupir. Il faisait beau, une journée d'été lumineuse. La vie était douce, elle me souriait, je faisais le métier que j'aime. Cette navrante histoire de fourrière allait-elle réussir à me pourrir la vie ? À ce moment précis, à l'instant même où je lâchais prise, une joie puissante m'est tombée dessus. Débordant de joie, je me suis mis à rire aux éclats, je riais de ma voiture à la fourrière. J'ai annulé tous mes rendez-vous et suis allé joyeusement la récupérer. Après cet incident, je l'ai vendue. Désormais, à Paris, je circule à pied, à vélo, je prends les transports en commun ou des taxis, et je loue une voiture quand j'en ai besoin pour partir en week-end. Je me suis ainsi libéré de bien des soucis pratiques !

À partir du moment où l'on n'est plus dans l'obsession de tout maîtriser, nous nous plaçons dans une attitude d'ouverture du cœur, dans une disponibilité d'esprit propice à la joie. Quand on accepte de lâcher prise dans les moments de contrariété (« ma voiture est à la fourrière », « mon train est à l'arrêt et je vais rater la correspondance », « ma connexion Internet ne fonctionne plus »...), c'est comme si on acceptait, au lieu de lutter comme le chien derrière le chariot, de s'accorder au temps de la vie. La vie m'a conduit là ? Je vais accompagner son mouvement, son flux. Tout simplement parce que je n'ai pas d'autres choix.

On touche ici au cœur de la philosophie taoïste, venue en réaction contre la pensée confucéenne. Confucius nous dit : pour être heureux, il faut être vertueux ; et pour être vertueux, il faut imiter l'ordre cosmique. Tout est prévisible dans l'ordre cosmique, et c'est rassurant : le soleil se lève parfaitement à l'heure prévue et se couche parfaitement à l'heure annoncée ; l'ordonnancement des planètes est éblouissant ; on sait, au jour près, quand une comète repassera dans notre ciel. Les taoïstes ont adopté une tout autre logique. S'ils reconnaissent la beauté de l'ordre cosmique, ils constatent que nous vivons sur terre, et non au ciel. Or, sur terre, rien n'est prévisible. On peut savoir à quelle heure se lèvera le soleil dans trois cents ans, mais on ignore quel temps il fera demain. Ici-bas règnent le chaos, le flux, le mouvement, l'incertitude. La philosophie du Tao ne propose pas une quête de la sérénité, de l'ataraxie, chère aux sages grecs ou confucéens. Sa quête, c'est la joie. Son chemin, c'est l'accompagnement joyeux – le cœur ouvert – du flux naturel de la vie.

L'un des plus grands penseurs taoïstes se nomme Tchouang-tseu. On sait peu de choses sur lui, sinon qu'il vécut au IVe siècle avant notre ère. Sans doute a-t-il succédé au fondateur Lao-tseu. On lui attribue la paternité de l'un des textes essentiels de cette tradition, qui porte son nom. Tchouang-tseu donne l'exemple d'un nageur qui cherche à traverser un fleuve. Les fleuves chinois sont puissants, agités de courants impétueux. Exactement comme le flot de la vie, nous dit-il. La plupart des nageurs tenteront de lutter contre ces courants, y mettront toutes leurs forces et leur énergie, ils s'épuiseront en vain et la plupart finiront noyés. Plus le courant est fort, dit Tchouang-tseu, moins il faut lutter contre lui. Gardons en tête l'intention d'atteindre l'autre rive, épousons le flot du courant, laissons-nous porter par lui, sans résister. Nous finirons par traverser le fleuve et parvenir, sains et saufs, sans efforts, sur la rive opposée que nous voulions rejoindre.

J'ai eu l'occasion de discuter, en Aquitaine, avec un groupe de maîtres nageurs. Ils m'ont parlé d'un courant sous-marin particulièrement redoutable qui traverse parfois la côte atlantique, près du rivage. Quand un nageur est pris dans ce courant, m'ont-ils appris, il ne doit absolument pas tenter de lutter, même s'il se trouve à quelques mètres de la plage : il risque de s'épuiser vainement et de se noyer. Le seul moyen de s'en sortir est… de s'allonger sur le dos, de faire la planche et de se laisser flotter. Dans un premier temps, ce courant, appelé sortie de baïne, vous éloigne. Ensuite, il vous ramène vers la côte et vous pourrez reprendre pied. Sans doute plus loin que votre point de départ, mais, en ayant lâché prise, vous êtes certain d'être sauvé de la noyade. C'est exactement la règle que nous livre Tchouang-tseu, si nous l'étendons à l'ensemble de notre existence. Lorsque nous sommes pris dans des courants contraires, ne nous débattons pas. Laissons-nous emporter et attendons le moment opportun pour entreprendre l'action qui nous permettra d'atteindre notre but. Attendons, en quelque sorte, que le courant nous redevienne favorable.

La pensée taoïste est une philosophie de l'opportunité. Le « non-agir » qu'elle prône ne consiste pas à ne jamais agir, mais à agir en épousant le mouvement de la vie – sans perdre de vue ses propres objectifs, ses propres intentions, sans chercher à les réaliser immédiatement et à n'importe quel prix. Si la vie s'y oppose, laissons-nous porter par son flux. Cet objectif, nous l'atteindrons plus tard, voire jamais si, entre-temps, nous avons changé d'objectif. En effet, la vie nous apporte parfois ce que nous considérons sur le moment comme une épreuve, en nous faisant prendre conscience que l'objectif que nous nous étions fixé n'était pas le bon. J'ai déjà raconté dans un autre ouvrage[19] combien j'ai parfois été déstabilisé après avoir démissionné de mon poste d'éditeur, à l'âge de trente ans, pour me consacrer totalement à l'écriture, et comment le destin m'a fort heureusement aidé à persévérer dans cette voie, en fermant plusieurs portes de métiers dits « alimentaires » auxquels j'avais aspiré lors de périodes de doutes et de difficultés financières.

L'expérience taoïste du lâcher-prise nous met dans la joie du flux. En y consentant, on accepte d'accompagner le mouvement de la vie, d'épouser ses formes jaillissantes, parfois surprenantes. On accepte de prendre le risque de vivre en permanence déstabilisé. Et si la vie ne suit pas le cours qu'on souhaiterait, peut-être avons-nous un message à en tirer ? Peut-être qu'un changement de vie s'impose à nous, qu'il est illusoire de persévérer dans les intentions que nous nous étions données ? Peut-être aussi qu'un jour les portes se rouvriront et les choses se feront.

C'est un fait, la vie nous déstabilise en permanence, faut-il s'en plaindre ? Imaginons, au contraire, une existence réglée comme du papier à musique, dans laquelle nous saurions toujours ce qui nous attend. Quel ennui ! Alors laissons-nous aller joyeusement, sourire aux lèvres, au lieu de nous crisper vainement et de souffrir encore plus. Le lâcher-prise nous conduit à une forme de consentement, pour les menues broutilles du quotidien comme pour les événements plus importants. Nul besoin d'être un champion de la sagesse pour y parvenir. Traduisons ce « oui » au quotidien par de petites expériences que nous pouvons mener, ici et maintenant, face aux tracas de tous les jours. Apprenons, car il s'agit bien d'un apprentissage, à utiliser la contrariété pour en faire émerger du positif… et de la joie.

La jouissance du corps

Si le lâcher-prise et le consentement nous procurent des joies par un travail de l'esprit, je voudrais clore ce chapitre en revenant sur le corps. J'ai évoqué, dans les premières pages de ce livre, l'importance de la perception sensorielle comme porte d'accès à la joie. Mais notre corps n'est pas source de joie seulement par la qualité d'attention que nous portons à nos sens. Il nous procure une joie par l'harmonie, l'équilibre, la puissance, la souplesse, la dextérité qui émanent de lui et lorsqu'il est en symbiose avec notre cœur et notre esprit. Ce n'est évidemment pas toujours le cas, mais lorsque nous ressentons ces états, lorsque nous les savourons, les amplifions, nous sommes souvent saisis par un sentiment de joie profonde. En ce qui me concerne, j'ai particulièrement développé cette sensation à travers les arts martiaux, notamment le judo et le karaté, que j'ai pratiqués de l'âge de huit ans jusqu'à dix-huit ans. C'est sans doute surtout grâce à cette pratique que j'ai appris à me reconnecter à mon corps, à l'aimer, à le ressentir dans sa globalité, sa force, son harmonie. La vitesse des déplacements, la précision des gestes, la juste tension des muscles procurent un sentiment de joie de vivre, de puissance d'exister. C'est aussi ce que nous pouvons ressentir lorsque nous nageons, courons, dansons et même simplement lorsque nous marchons. Quand je suis en bonne forme physique, il m'arrive parfois de transformer la mécanique de mes pas en marche consciente, qui procure cette jouissance d'un corps sain, épanoui. C'est une forme de méditation que le Bouddha enseignait ainsi à ses disciples : « Fixez votre attention sur la marche, avec les facultés de vos sens tournées vers l'intérieur et l'esprit qui ne s'échappe pas. » Il m'arrive aussi de bondir, de danser, je me laisse aller à d'amples mouvements. Évidemment, cela m'arrive plus souvent lorsque je randonne dans la nature que lorsque j'arpente les trottoirs des villes ! Mais j'adore ressentir et amplifier cette exultation du corps.

C'est évidemment aussi l'expérience que nous faisons dans les relations sexuelles : la joie de faire l'amour en étant pleinement attentif à tous les délices sensoriels. Et cette joie est décuplée lorsque notre cœur vibre à l'unisson avec celui de notre partenaire. La jouissance peut alors devenir une véritable expérience sacrée. Nous sommes pleinement présents à nos corps, à leurs étreintes, à l'osmose de nos âmes et de nos cœurs. Nous vivons une expérience où notre moi se dilate, où nos ego explosent, où nos pensées s'arrêtent, où nos deux êtres ne sont plus qu'un, tout en nous sentant reliés à l'univers entier. Cela n'arrive pas tous les jours, mais quelle puissance de vie et de joie nous pouvons ainsi expérimenter à travers la sexualité !

Il est donc capital de prendre soin de son corps, de tout faire pour le maintenir en bonne santé par une nutrition saine et équilibrée, un bon sommeil, de l'exercice physique. Schopenhauer, qui était pourtant fort sceptique sur la question du bonheur, affirmait que la chose la plus importante pour être heureux consistait à marcher au moins deux heures par jour, et si possible dans la nature ! Il est certain que l'entretien de notre corps, l'amour que nous lui portons (sans qu'il devienne excessif ou exclusif), la capacité que nous avons à le ressentir et à l'unir harmonieusement à notre esprit sont une condition essentielle à l'éclosion de la joie.

4

Devenir soi

Le plus ignorant des hommes est celui qui renonce à ce qu'il sait de lui-même pour adopter l'opinion d'autrui[20].

AHMAD IBN ATA ALLAH,
maître soufi du XIIIe siècle

Nous venons de passer en revue un certain nombre d'attitudes qui nous permettent de créer un terrain, un climat, une disposition d'esprit propices à accueillir la grâce de la joie. Toutefois, ces joies sont éphémères : quand on lâche prise, quand on dit merci à la vie, quand on obtient une victoire sur nous-mêmes, notre joie, pleine et intense, a un goût d'absolu, mais reste fugace. Spinoza, le premier, s'est demandé s'il existait un chemin dans lequel on pourrait s'engager et qui permettrait de rendre la joie plus constante, voire permanente. Autrement dit, peut-on créer un « état de joie » comme on peut créer un état de bonheur, de sérénité durable, d'ataraxie, cet état d'absence de trouble auquel aspiraient le Bouddha et les philosophes de l'Antiquité ? Ce ne serait pas nécessairement une joie exubérante qui nous pousserait à bondir, danser, exulter, mais une joie douce et profonde, qui ferait vibrer en permanence notre être avec le mouvement de la vie.

Je pense qu'il nous est possible de tendre vers cet état. Et qu'il existe pour nous y conduire non pas un, mais deux chemins, tout à fait différents à première vue, en réalité complémentaires.

Le premier consiste à aller vers soi : c'est ce que j'appelle la joie de la libération.

Le second chemin consiste à aller vers les autres et à s'accorder au monde : c'est la joie de la communion.

Nous verrons que ces deux chemins de liberté et d'amour, de déliaison et de reliaison, convergent vers ce que certains philosophes et les grands spirituels appellent la « joie parfaite », celle qui n'est plus liée à une cause extérieure et que rien ne peut tarir.

Le processus d'individuation

Le premier chemin pour développer une joie active, permanente, consiste donc à aller vers soi, afin de devenir pleinement soi-même. Ce chemin commence par un travail d'introspection : on s'examine en tentant de reconnaître tout ce qui, en nous, n'est pas nous, et qui nous a été plus ou moins imposé de l'extérieur par le biais de notre éducation et de notre culture. Ce sont des idées, des croyances sur la société, sur Dieu, sur nous-mêmes, qui ont tendance à museler notre vrai « nous », à l'étouffer. Et donc à nous rendre tristes. À partir de là, nous pouvons commencer à nous délier, c'est-à-dire à nous débarrasser de ces liens. Nous sommes tissés de liens, ils nous sont nécessaires : on ne peut pas vivre sans communauté, sans famille, sans valeurs, sans croyances dont on hérite au départ. Mais il est tout aussi nécessaire, si on veut aller vers la joie la plus profonde, de porter un jour un regard critique sur ces liens et de se défaire de ceux qui nous encombrent. Ce chemin, que j'appelle de « déliaison », constitue le premier grand pas vers la libération.

On pourrait aussi parler de « processus d'individuation » avec le psychiatre suisse Carl Gustav Jung, disciple de Freud, qui a pris ses distances avec son maître. Ce processus d'individuation est généralement entrepris vers le milieu de la vie, globalement entre trente-cinq et cinquante ans, quand nous avons pris conscience – par la confrontation avec l'expérience – de notre nature véritable et de nos aspirations réelles. Nous comprenons alors qu'un certain nombre d'éléments de notre vie ne sont pas conformes à nos aspirations les plus profondes. Untel aurait voulu travailler dans la finance, mais son père, pianiste, l'a orienté vers l'art, domaine dans lequel il ne s'épanouit pas. Inversement, un banquier aurait rêvé de devenir comédien, mais ses parents l'en ont dissuadé : « Ce n'est pas un métier dont on vit ! » Tel autre aurait voulu poursuivre des études, mais on lui a tellement répété « tu ne vaux rien » qu'il a fini par s'en convaincre et a rejoint très tôt le monde du travail, marqué toute sa vie par cette affirmation. Cet autre encore à qui l'on a donné des jouets de garçon alors qu'il avait envie de jouets de fille s'est conditionné à assumer une identité masculine, n'a jamais osé développer sa sensibilité féminine, et en ressent un véritable mal-être.

Le processus d'individuation est un travail de déliaison qui procède d'un double effort d'introspection : prendre conscience de ce qui ne nous convient pas, de ce qui n'est pas nous et, conjointement, prendre conscience de ce que nous sommes vraiment, de nos véritables besoins et de notre nature profonde. Celle qui n'est pas étouffée par les pensées et croyances familiales, culturelles du milieu où le hasard – ou le destin – a voulu que l'on naisse, voire le fruit d'archétypes de l'inconscient collectif – une personne née en France ne porte pas le même inconscient collectif qu'une autre née en Inde ou au Brésil. Il nous faut certes admettre que nous sommes le produit d'une lignée, d'un milieu, d'une culture, mais il existe aussi à l'intérieur de nous un « substrat » originel, appelons-le une « personnalité », qui est singulière, profonde, unique, et très tôt détectable. En effet, dès les premières semaines de son existence, on peut discerner les traits particuliers de la personnalité d'un bébé : anxieux ou joyeux, introverti ou expansif, très actif ou calme, doux ou colérique. Freud insiste sur l'influence du milieu dans la constitution de la personnalité, tandis que Jung, sans nier cette influence, estime qu'il existe, antérieurement à celle-ci, ce qu'il appelle les « tempéraments fondamentaux », on pourrait dire aussi des « caractères », dont il dresse une typologie. Aristote l'avait, de longue date, pressenti. Dans son *Éthique à Nicomaque*, le philosophe grec pointait l'existence d'une nature particulière en chaque être : « Ce qui existe en soi et la substance même sont par la nature antérieurs à ce qui existe par relation, qui n'est qu'adventice et accident de l'être[21]. » Pour être heureux, chacun, nous dit-il, doit se réaliser en fonction de sa nature : « Car éprouver du plaisir intéresse l'âme et l'agrément pour chacun est relatif à ses inclinations. Par exemple, le cheval plaît à l'amateur de chevaux, le spectacle à l'amateur de théâtre ; de la même manière, la justice à quiconque aime la justice et, en un mot, les actes vertueux à qui aime la vertu[22]. » L'une des sources d'accès à la joie consiste donc à rejoindre la fameuse injonction socratique : « Connais-toi toi-même », qui était gravée sur le fronton du temple de Delphes. Se connaître pour mener, comme le dira Jung après Aristote, une vie conforme à notre nature et à nos aspirations les plus profondes.

Connais-toi toi-même… et deviens qui tu es

Le mode le plus évident de connaissance de soi est l'introspection. Elle consiste en un travail d'attentive observation de nous-mêmes, de notre sensibilité, de nos motivations, de nos désirs, de nos émotions. Une analyse de nos propres expériences et de ce qu'elles ont suscité en nous. Nos expériences nous parlent, si on accepte d'écouter leur message : « Tu es malheureux en persévérant dans cette voie, tu t'épanouirais peut-être dans telle autre. » « Telle chose te fait du bien, telle autre du mal. » Nous appréhendons parfaitement cette démarche quand il s'agit, par exemple, de notre alimentation. Tous les aliments ne nous correspondent pas, certains peuvent même nous rendre malades, alors qu'ils conviennent tout à fait à d'autres. Ceux-ci sont allergiques au gluten ou au lait de vache, quand ceux-là les supportent très bien. Il en va de même de notre vie affective, professionnelle, relationnelle. Certaines personnes ne sont bien que seules, d'autres doivent en permanence être entourées, alors que la plupart ont besoin, pour s'épanouir, d'alterner moments de solitude et de sociabilité. C'est bien l'expérience qui dira à chacun ce qui lui sied le mieux. Quand il nous invite au discernement, Spinoza dirait : « Observe ce qui te met dans la joie et ce qui te rend triste. » Si je suis triste chaque fois que j'ouvre un cahier de mathématiques pour me lancer dans la résolution d'équations, j'aurais sans doute intérêt à m'orienter vers une autre activité. Si, en revanche, lire de la philosophie ou de la poésie me plonge dans la joie, il ne fait aucun doute que telle est la voie qui correspond à mon tempérament. Je ne prends pas cet exemple au hasard : c'est le mien. J'ai vite compris que je n'étais pas un « matheux », l'un de ceux dont on dit spontanément : « Il a la bosse des maths. » Je ne me suis pas acharné : dès la fin de la sixième, j'ai totalement délaissé les maths, matière dans laquelle je collectionnais les zéros, d'ailleurs je crois qu'il m'aurait été impossible de poursuivre ma scolarité si l'on m'avait forcé à faire encore des mathématiques.

Le principe de discernement consiste à s'observer, avec lucidité et sans a priori. Comme toute autre activité, il se perfectionne avec l'entraînement. Il implique une prise de distance avec soi-même et, surtout, un recul rationnel. Sans cet effort de discernement, nous nous épuisons bien souvent à n'être pas nous-mêmes. Nous endossons un rôle, une personnalité, des envies qui ne sont pas les nôtres. Nous donnons une image de nous qui correspond à ce que les autres attendent de nous. Ou à ce que nous imaginons qu'ils attendent de nous, pour leur plaire, être socialement acceptables. Nous voulons tous être aimés, nous avons tous fondamentalement besoin de reconnaissance. Si nous n'en avons pas suffisamment reçu quand nous étions enfants, si l'amour de nos parents n'a pas toujours été juste, approprié, ou si nous l'avons mal ressenti, une fois adultes nous resterons toujours en quête d'approbation. Ce fut mon cas. Pendant des années, j'ai eu besoin de faire plaisir aux autres, au détriment de moi-même. Je pensais ne pouvoir être aimable qu'à cette condition. Je disais oui alors que j'avais envie de dire non. J'acceptais des choses qui me causaient de la peine ou de la souffrance. Jeune adulte, j'ai mis du temps à me rendre compte que j'en étais malheureux. J'ai alors décidé d'entreprendre un travail thérapeutique qui m'a appris à être moi-même, progressivement. J'ai tout d'abord compris, grâce à une psychanalyse, que je vivais inconsciemment sous le regard de mon père. En aucun cas, je ne m'autorisais à prendre le risque de lui déplaire, ce qui m'avait aussi conduit à rechercher en permanence l'approbation des autres en voulant à tout prix leur faire plaisir. Pour compliquer les choses, j'avais aussi reçu de mon père, toujours inconsciemment, une injonction paradoxale qui bloquait ma propre réussite sociale : « Sois quelqu'un d'important, mais ne me dépasse pas. »

Le travail psychanalytique m'a aidé à mettre au jour et à comprendre ce problème, mais je n'arrivais pas à m'en libérer pour autant. Sur les conseils d'une amie psychologue, j'ai alors décidé de travailler sur mes émotions et me suis inscrit à un stage de Gestalt-thérapie. Nous étions à la campagne, une vingtaine de personnes réunies autour de deux thérapeutes. D'emblée, une première séance de relaxation dans le noir nous a plongés dans un état de conscience un peu modifié qui nous a rendus très réceptifs. Un papier et un crayon nous ont été tendus et il nous a été demandé, toujours dans l'obscurité, de dessiner notre corps. Les copies ont révélé des silhouettes toutes aussi extravagantes les unes que les autres. Le corps que j'avais esquissé était assez structuré, mais complètement dissymétrique : un côté était énorme, l'autre atrophié, avec une jambe et un bras ridiculement minuscules. Le personnage donnait aussi l'impression d'être enchaîné, d'étouffer. L'un des thérapeutes s'est placé face à moi : « Que ressens-tu ? » Je ne ressentais rien. Il a insisté, répété sa question, j'ai fini par ressentir une oppression dans ma poitrine, et, très vite, j'étouffai. Un second thérapeute, le plus costaud des deux, m'a demandé s'il pouvait accentuer cette sensation désagréable. J'ai répondu par l'affirmative et il m'a aussitôt ceinturé par l'arrière. Une colère est montée en moi, je lui ai crié de me lâcher, je criais de plus en plus fort, je me débattais quand le premier thérapeute m'a demandé : « À qui parles-tu ? » Je lui ai spontanément répondu en pleurant de rage : « À mon père ! » C'était une évidence. Je voyais mon père. J'ai expulsé la colère qui m'oppressait, j'ai enfin pu lui dire qu'il m'étouffait, m'empêchait d'être moi-même. Je me suis battu, débattu, j'ai hurlé. En moins d'une heure, je me suis libéré de l'emprise du regard de mon père sur moi et j'ai pris conscience que, pour ne pas m'affirmer socialement, j'avais fini par atrophier la part masculine en moi (celle-là même qui était atrophiée sur mon dessin), et développer le féminin : la création, la poésie, la sensibilité. Je n'étais pas pleinement moi-même. Quand je suis ressorti de ce stage, je chantais dans la rue. Je me sentais libéré comme un oiseau sorti d'une cage. J'ai ressenti cette joie intense plusieurs semaines, ce qui a permis l'émergence en moi d'une capacité de joie plus profonde encore. Au cours des mois qui ont suivi, j'ai commencé à m'affirmer, et j'ai pu dire non pour la première fois à une personne à qui je n'avais jamais osé refuser quoi que ce soit, ce qui a fait grandir plus encore la joie de mon émancipation. Quand j'ai saisi que ce non n'avait suscité aucun problème mais, qu'au contraire, en plus de m'avoir libéré, il avait aussi libéré l'autre, j'ai commencé à savoir dire non, à m'affranchir peu à peu du regard des autres, de leurs critiques comme de leurs louanges. Une fois qu'on a compris qu'il est stupide et vain de vouloir être aimé par tout le monde, on est déchargé d'un grand poids. Et cela est valable aussi dans toutes les situations professionnelles. Quand un collègue ne nous apprécie pas, c'est son problème, pas le nôtre. Il a peut-être des raisons justes ou injustes, légitimes ou illégitimes, peu importe ! Il est impossible de vivre dans la joie si l'on est en permanence dépendant de la critique ou du jugement des autres.

Le chemin de libération selon Spinoza

L'introspection, parfois soutenue par un travail thérapeutique, permet donc de découvrir qui nous sommes vraiment en nous délivrant du regard des autres, à commencer par le plus déterminant : celui de nos parents, et de tout ce qui nous empêche de grandir, de nous épanouir. Pour l'instant, j'ai surtout évoqué le poids de ces influences extérieures. Mais c'est sur notre conditionnement intérieur (quelles qu'en soient les causes, le plus souvent externes, mais aussi parfois internes) qu'il s'agit de porter notre attention pour nous libérer : celui de nos affects, de nos émotions, de nos pulsions, de nos désirs, de nos croyances. Pour gagner en liberté, et donc en joie, il faut apprendre à briser les chaînes de notre esclavage intérieur. Car, bien souvent, nous sommes d'abord esclaves de nous-mêmes, et savoir cela est un antidote à la victimisation. Il est tellement plus simple d'incriminer les autres de tous nos problèmes !

C'est toute la perspective du bouddhisme qui vise, par un long chemin de méditation et d'introspection, à se libérer de la servitude intérieure pour atteindre l'Éveil, l'expérience ultime de la libération. J'y reviendrai brièvement dans le chapitre suivant consacré à la joie parfaite. Restons ici dans la perspective philosophique, celle de Spinoza, le grand penseur occidental de la libération intérieure.

Spinoza, on l'a vu, a été l'annonciateur des Lumières en réclamant précisément l'instauration d'une République laïque qui respecterait les libertés de conscience et d'expression. Il est donc le chantre moderne de la liberté, au sens le plus largement répandu dans nos sociétés occidentales. Mais on oublie bien souvent qu'il est, dans le même temps, le grand penseur de la liberté intérieure : Spinoza rappelle que l'être humain ne naît pas libre, mais qu'il le devient au terme d'un effort rationnel de connaissance des causes de ses affects et de ses idées. Toutes nos libertés sociales et politiques chèrement acquises sont infiniment précieuses : liberté de choisir son conjoint, son métier, son lieu de vie, sa vie sexuelle, liberté de croyance et d'expression. Elles ont été conquises de haute lutte, et nous continuons à les défendre ardemment. À son époque, nous l'avons vu, Spinoza a été persécuté en raison de ses opinions politiques et religieuses, il a perdu sa famille, ses amis, il a failli être assassiné et a dû écrire de manière parfois obscure pour ne pas être traqué. Cet homme a souffert toute sa vie de l'impossibilité de s'exprimer librement. Et pourtant ce même homme nous enseigne que la plus grande servitude, celle qui nous plonge dans la plus grande peine, c'est la servitude à l'égard de nos propres passions. Rien n'est plus important que d'accomplir ce patient travail sur nous-mêmes : nous affranchir de nos tyrans intérieurs, non seulement pour parvenir à la joie mais aussi pour améliorer le monde. Écoutons-le, et cheminons encore un moment à ses côtés !

Nous avons vu que la pensée éthique de Spinoza reposait sur le *conatus*, cet effort que déploie tout organisme vivant pour persévérer dans son être et accroître sa vitalité. Chez l'être humain, le *conatus* prend le visage du désir, mot utilisé dans un sens très large : en l'occurrence, tous les efforts, impulsions, appétits et volitions de l'homme, précise Spinoza[23], pour qui le désir constitue l'« essence même de l'homme[24] ». La servitude de l'homme réside dans une mauvaise orientation de ses désirs. Il est triste, malheureux et impuissant, car ses désirs sont orientés vers des objets qui diminuent sa puissance au lieu de l'augmenter. Dès lors, le processus de libération, qui permet de passer de la tristesse et des joies passives aux seules joies actives, ne consiste pas à réprimer ou à supprimer les désirs, mais à reconnaître ce qui est bon et ce qui est mauvais pour nous, afin de réorienter nos désirs vers des objets qui nous élèvent.

Spinoza ne croit pas, comme les stoïciens, à la seule force de la volonté pour changer. Il n'oppose pas non plus, comme Platon, Descartes ou Kant, la rationalité à l'affectivité. Pour lui, l'affectivité n'est pas un mal que la force de la raison et de la volonté parviendrait à dompter. Ce qui constitue un mal, c'est seulement la passivité dans l'affectivité ou le désir, qu'il faut alors convertir en activité grâce au discernement rationnel. En cela, il se distingue aussi de la perspective du bouddhisme, qui, associant à juste titre le malheur au désir, se propose d'éliminer le désir, source d'attachement. Spinoza affirme, au contraire, que le désir étant l'essence de l'être humain, ses affects constituent le moteur de toute son existence. Il ne s'agit donc pas de diminuer notre affectivité, mais de l'éclairer pour l'enrichir, l'orienter de manière juste. Il est nécessaire, dans son langage propre, de convertir nos passions – liées à notre imaginaire et à des idées erronées, tronquées, inadéquates – en actions, c'est-à-dire en affects liés à des idées authentiques. Pour le formuler encore autrement, l'éthique de Spinoza ne s'attaque à aucun mal pour l'éradiquer : elle vise à dévoiler les faux biens qui nous illusionnent et à révéler l'authenticité des biens désirables.

Spinoza souligne ainsi que la raison, si indispensable soit-elle dans ce travail de discernement, ne suffit pas à nous faire changer : « Un affect ne peut être ni supprimé ni réprimé si ce n'est par un affect contraire et plus fort que l'affect à réprimer[25]. » Le rôle de la raison consiste à susciter un nouveau désir, meilleur et plus fort que le désir inapproprié (qui nous aliène et nous attriste). Seul le désir est une force assez puissante pour permettre à l'être humain de progresser, mais le désir est vain sans le secours de la raison grâce à laquelle il va discerner les objets (ou les personnes) vers lesquels il convient de se réorienter.

Les passions, précise encore Spinoza, proviennent de causes qui nous sont extérieures : c'est précisément ce que nous avons évoqué plus haut à propos du processus d'individuation. Inconsciemment, nous sommes mus par des influences qui contrarient notre nature profonde et agissent sur nos affects par le biais de ce que Spinoza appelle l'imaginaire. Il faut donc se libérer de ces causes extérieures. La cause de nos affects doit relever dès lors, par ce travail de prise de conscience, seulement de nous-mêmes. C'est ainsi que nos affects deviennent actifs. Nous ne subissons plus notre affectivité, nous l'instaurons, nous la réorientons consciemment vers ce qui nous fait grandir, nous met dans la joie.

Nous passons ainsi de la servitude à la liberté, de la tristesse ou de la joie passive à la joie active et à la béatitude.

Je vais tenter d'exprimer plus succinctement encore la pensée de Spinoza concernant ce passage de la servitude à la joie de l'homme libre. L'être humain est fondamentalement un être de désir. Tout désir est poursuite de la joie, c'est-à-dire une augmentation de notre puissance vitale. La tristesse – qui vient d'une passion : un désir mal orienté, mal éclairé, influencé par une cause extérieure – la diminue. Nous vivons très souvent sous l'emprise de nos passions qui nous maintiennent dans la passivité, donc dans la servitude. L'éthique consiste à s'appuyer sur notre puissance vitale, nos affects, notre désir, en les éclairant par le discernement de la raison. Ainsi, nous pouvons remplacer nos idées imparfaites, partielles, imaginaires par une vraie connaissance qui transforme nos affects passifs en affects actifs, ne dépendant que de nous. Nous pouvons alors goûter à la joie pleine et constante de notre désir, réglé de façon adéquate.

La tristesse du désir insatisfait est à l'origine de cette quête de sagesse. La joie du désir comblé constitue son aboutissement.

Encore une fois, nous sommes aux antipodes d'une morale du devoir fondée sur des catégories prétendument objectives du Bien et du Mal, de la répression de l'affectivité et des instincts, de la suppression du désir. La « gestion du désir », sa réorientation deviennent ainsi la clé du bonheur et de l'épanouissement.

Jésus, le maître du désir

Ce que Spinoza a théorisé en termes éthiques et philosophiques, Jésus l'a mis en pratique, des siècles auparavant, au nom de la spiritualité d'amour qu'il prône. Ce que Spinoza appelle « passion », Jésus l'appelle « péché », mot qui, en hébreu, signifie « manquer sa cible ». Au fil des siècles et du développement de la tradition chrétienne, le péché est devenu un terme culpabilisant, portant le poids d'une morale écrasante, celle des interminables listes de péchés dressées par l'Église, dont certains sont censés nous conduire droit en enfer. Rien de cela dans l'Évangile. Jésus ne condamne jamais quiconque. Lorsqu'il sauve la femme adultère de la lapidation, il lui dit : « Je ne te condamne pas. Va, et désormais ne pèche plus[26] », ce qui signifie : « grandis dans ton désir, réoriente-le, ne te trompe plus de cible ». Il en va toujours ainsi avec le message du Christ, qui n'est pas venu juger et condamner les hommes, mais sauver et relever, selon la phrase de l'évangéliste Jean : « Dieu n'a pas envoyé Son Fils dans le monde pour qu'il juge le monde, mais pour que le monde soit sauvé par lui[27]. » De fait, Jésus (pas plus que Spinoza) ne dit jamais c'est bien ou c'est mal, mais plutôt c'est vrai ou c'est faux, c'est juste ou c'est injuste, cela te fait grandir ou cela te diminue. Et, plutôt que d'écraser ses interlocuteurs par une condamnation morale, il les aide à se relever par un geste ou un regard aimant.

Voici l'histoire de Zachée[28] racontée par l'évangéliste Luc. C'est un collecteur d'impôts véreux, détesté de tous, un publicain qui prend l'argent de son peuple pour le donner aux Romains – et, au passage, il en dérobe la moitié qu'il met dans sa poche. En bref, un homme totalement corrompu. Néanmoins, quand Jésus arrive dans son village, Zachée est très impressionné. Petit de taille, il grimpe sur un sycomore afin de l'apercevoir. Tout le monde suppose que Jésus prendra son repas chez l'habitant le plus religieusement respectable, le prêtre ou le pharisien. Mais pas du tout ! Jésus lève les yeux, aperçoit Zachée et l'interpelle : « Descends vite, car il me faut aujourd'hui demeurer chez toi. » Bouleversé, Zachée dégringole de son arbre, se jette aux pieds de Jésus et lui annonce : « Je vais donner la moitié de mes biens aux pauvres, et si j'ai extorqué quelque chose à quelqu'un, je lui rends le quadruple. » Zachée n'a pas décidé de changer sa conduite parce que Jésus lui aurait donné une quelconque leçon de morale, mais parce qu'il l'a regardé avec amour. Et, par cet amour, il a éveillé en Zachée le désir d'être meilleur, de grandir, de changer de vie. Jésus, à l'instar de Spinoza, est « le maître du désir », ce que Françoise Dolto avait parfaitement saisi dans son *Évangile au risque de la psychanalyse*[29]. Et, de même que la philosophie de Spinoza est une philosophie de la joie, l'enseignement de Jésus conduit à la joie : « Je vous donne ma joie pour que votre joie soit complète[30]. » C'est ce message que le pape François essaye aujourd'hui de réhabiliter, en rappelant aux clercs et aux fidèles catholiques que l'Église a pour vocation de toucher les cœurs par l'exemple – par l'amour et par la joie – plutôt que de se crisper sur un discours moralisateur excluant tous ceux qui cheminent en dehors des règles. Et ce n'est pas un hasard si son premier texte pontifical s'intitule : « La joie de l'Évangile ».

De la liberté intérieure à la paix mondiale

Comme le souligne Spinoza, on ne naît pas libre, on le devient. Tant que nous n'avons pas effectué ce travail intérieur de connaissance de soi et de lucidité, nous ne sommes mus que par nos émotions, nos désirs, nos passions, nos croyances, notre imagination, nos opinions.

Toutes les actions que nous pensons mener « librement » sont en fait dictées par notre affectivité et nos croyances.

Bien avant Freud, Spinoza a compris que nous étions mus par notre inconscient, et c'est la raison pour laquelle il ne croit pas au libre arbitre et redéfinit en profondeur le concept de liberté. Pour lui, être libre, c'est agir en fonction de sa nature et non plus des causes extérieures. La liberté, c'est l'autonomie. Chaque progrès sur la voie de la libération conduit à la joie. Nous en faisons tous l'expérience : plus on se libère de ce qui nous aliène, plus on est joyeux. Toute la pensée de Spinoza repose donc sur cette idée fondamentale : nous possédons une nature propre, singulière, unique qu'il convient d'accomplir : « Le désir de chacun diffère du désir d'un autre autant que la nature ou essence de l'un diffère de l'essence de l'autre[31]. » Il n'existe pas deux individus semblables, aux goûts et aux désirs identiques, puisque chaque individu a une nature qui lui est propre. Mais le formidable paradoxe de cette pensée, qui porte au sommet la notion de singularité de l'individu, c'est qu'une fois parvenu à la libération de la servitude ; une fois qu'il est en pleine connaissance de lui-même, et en juste orientation de son désir propre ; une fois qu'il est devenu parfaitement autonome, l'être humain est plus que jamais utile aux autres et capable d'aimer de manière juste. En effet, nous dit Spinoza, on ne peut bien s'accorder aux autres que si on s'est déjà accordé avec soi-même. Tous les conflits, quels qu'ils soient, proviennent des passions. Un être humain qui est parvenu à surmonter ses passions, à les transformer en joies actives, ne peut plus nuire à autrui. Il a vaincu en lui l'égoïsme, la jalousie, l'envie, le besoin de dominer, la peur de perdre, le manque d'estime de soi ou une trop grande estime de soi, bref tout ce qui crée les conflits entre les individus et les guerres entre les peuples. La recherche éthique individuelle de l'« utile propre » mène donc nécessairement à la réalisation du bien commun. Ou, pour le dire autrement, en reprenant cette magnifique formule de Gandhi : c'est en se changeant soi-même qu'on changera le monde. La véritable révolution est intérieure.

5

S'accorder au monde

Être capable de trouver sa joie dans la joie de l'autre : voilà le secret du bonheur[32].

BERNANOS

Le premier chemin vers une joie profonde et durable, celui que nous venons d'examiner, est un chemin vers soi, un chemin de déliaison. Le second chemin d'accès à notre source de joie intérieure est, inversement et de manière concomitante, un chemin vers l'autre, un chemin d'amour, de communion, un chemin de reliaison. Ce terme ne figure pas dans les dictionnaires de la langue française. J'appelle « reliaison » le chemin au long duquel nous allons chercher à recréer des liens justes, vrais, des liens qui nous font grandir et nous mettent dans la joie. Des liens qui pourront remplacer ceux que nous avons déjà tissés dans notre parcours de vie, et qui nous ont parfois entravés, limités, étouffés ou qui ne nous ont pas permis de nous épanouir ni de grandir selon notre nature véritable. Bien sûr, certains liens antérieurs restent indispensables pour nous développer. Ils constituent le terreau sur lequel nous allons tisser ces nouveaux liens, plus justes et plus adaptés à ce que nous sommes aujourd'hui.

L'amour d'amitié

Aucun être humain ne peut vivre et croître sans amour, sans liens affectifs avec les autres et le monde. Nos tout premiers liens remontent à la vie intra-utérine. Ce sont des liens exclusifs avec notre mère, avec son inconscient, ses énergies, ses affects. Après la naissance, ces liens se renforcent. Le regard des parents – heureusement le plus souvent empreint d'amour –, puis, très vite, les regards de notre entourage seront le miroir qui nous permettra de nous construire : c'est à travers le regard des autres qu'on commence à se considérer soi-même. Quand cette image est positive, l'enfant se sent aimé et aimable, il acquiert un sentiment de sécurité et une confiance qui vont lui permettre de grandir et d'éprouver ses premières joies. Les joies de l'enfant sont extraordinaires.

Elles sont à fleur de peau, elles se manifestent de manière spontanée, enthousiaste, par des applaudissements, des cris, des rires, par le corps qui se mobilise tout entier, par des yeux qui exultent. Il ne s'agit pas de petits plaisirs, comme ceux que nous éprouvons plus volontiers dès les prémices de l'adolescence, et encore plus à l'âge adulte. Il s'agit de vraies joies.

Les plus grandes joies de l'enfant sont en rapport avec le lien : il rit et applaudit parce que sa mère ou son père le font jouer, le regardent, l'encouragent. Il rit et applaudit à chaque progrès qu'il accomplit sous les encouragements de l'autre. Puis l'enfant grandit, ses relations évoluent et dépassent le cercle familial. À la crèche, puis à l'école maternelle, il découvre les premiers sentiments d'amitié, qui vont s'intensifier au fil des années ; plus tard, il ressentira ses premiers émois amoureux. Ce sont des années d'apprentissage, de découverte du lien, il va nouer avec les autres des relations qui le mettront dans la joie, l'aideront à être pleinement lui-même, ou qui vont le plonger dans la tristesse ou lui apporter de fausses joies. Le discernement devient alors nécessaire dans les relations affectives. Mais il convient d'abord de tenter de mieux comprendre la nature de la relation affective entre deux individus qui se choisissent mutuellement et qu'on nomme amour ou amitié.

Dans son *Éthique à Nicomaque*, Aristote utilise un même mot pour désigner l'amour et l'amitié, ces deux sentiments fondamentaux de la communion affective que nous avons désormais tendance à séparer : *philia*, dont il affirme que c'est « ce qu'il y a de plus nécessaire pour vivre[33] ». *Philia* est un amour profond qui unit aussi bien des amis que des couples, le fondement de toute relation humaine authentique : on choisit une personne avec laquelle on partage un projet, un désir de « faire une œuvre commune », comme le dit Aristote, que ce soit fonder une famille ou bien développer une amitié sur un partage d'échanges, de loisirs, de connaissances, etc. *Philia* est toujours fondé sur la réciprocité : il ne consiste pas à aimer quelqu'un qui ne nous aime pas, mais une personne avec laquelle nous nous encourageons mutuellement, nous nous aidons réciproquement à nous épanouir, à nous accomplir. En quelque sorte, on peut mettre en commun la joie avec celui ou celle qu'on aime au point de ressentir en nous-même la joie de l'autre. Au risque, il est vrai, de partager aussi ses peines. Mais, sans cette ouverture sur la vie, nous ne connaîtrions jamais que l'humeur maussade d'une étouffante surprotection. Il arrive, malheureusement, que les amitiés ou les amours soient bancals parce que l'un aime inconditionnellement et veut avant tout le bonheur de l'autre, alors que l'autre aime conditionnellement, c'est-à-dire à condition qu'on réponde à son attente. Ce type de relations existe à tous les niveaux. Je connais des parents qui aiment leur enfant « à condition » qu'il réussisse dans ses études. Des conjoints qui aiment leur partenaire « à condition » qu'il conserve son poste ou sa beauté physique. Des amis qui sont liés avec vous parce qu'ils en sont flattés, ou parce que vous les introduisez dans tel ou tel milieu. Ces amitiés et amours conditionnels empêchent la joie d'émerger : nous ne sommes pas aimés pour nous-même ; de fait, dans cette relation, nous ne serons jamais nous-même.

Philia comporte une dimension sans laquelle aucun amour ne peut être vrai ou épanouissant : la joie de pouvoir être pleinement soi, et d'aider l'autre à être, lui aussi, pleinement lui-même. Aimer et être aimé signifient vouloir le meilleur pour l'autre comme pour soi-même : recevoir et lui donner de la joie. L'amour d'amitié, lorsqu'il est sincère, n'est pas utilitariste : celui-ci n'est pas mon ami parce que j'ai besoin de lui – professionnellement, socialement, matériellement. Cela ne signifie pas que la véritable amitié soit obligatoirement désintéressée : mon ami peut aussi m'aider dans mon travail, mais le jour où il ne répond plus à cette attente, par exemple parce qu'il a pris sa retraite ou a changé de fonction, il ne cesse pas d'être mon ami pour autant.

L'exemple le plus célèbre d'amitié est sans doute celle de Montaigne et de La Boétie. Ils s'étaient rencontrés en 1558, au parlement de Bordeaux, où ils siégeaient tous deux. Michel de Montaigne avait alors vingt-cinq ans, Étienne de La Boétie trois ans de plus, et ils ont immédiatement su qu'ils étaient faits pour s'entendre. Leur amitié les mettait en joie. Montaigne la distingue de « ce que nous appelons ordinairement amis et amitiés », dont il dit que « ce ne sont qu'accointances et familiarités nouées par quelque occasion ou commodité ». Et il fera, en parallèle, l'éloge de la véritable amitié dans laquelle « les âmes se mêlent et confondent l'une en l'autre, d'un mélange si universel qu'elles effacent et ne retrouvent plus la couture qui les a jointes[34] ». Il aura cette expression restée célèbre comme la formule même, on dirait presque l'équation, qui donne l'explication du pourquoi et du comment de l'amitié : « Parce que c'était lui, parce que c'était moi. » Dans ses *Essais*, il avoue volontiers que les plus beaux moments de son existence ont été ceux qu'il a partagés avec La Boétie. La mort précoce de son ami, cinq ans à peine après leur première rencontre, restera l'immense douleur de son existence, bien davantage, avoue-t-il, que le décès précoce de cinq de ses enfants.

On connaît moins le témoignage d'Épicure adressé à son ami Idoménée, dans une lettre très émouvante qu'il dicta depuis son lit de mort. Il donne des détails de sa santé, des douleurs qu'il ressent, puis il ajoute : « Mais à tout cela [c'est-à-dire à toutes les douleurs physiques], la joie qu'éprouve mon âme a résisté, au souvenir de nos conversations passées[35]. »

Philia a besoin à la fois de gratuité et de réciprocité, faute de quoi, il bascule dans le sacrifice et la tristesse. Certes, il existe une joie à aider et à donner sans rien attendre en retour, en étant totalement indifférent à ce que l'autre peut m'apporter, mais c'est une autre dimension de l'amour, j'y reviendrai. Des amis ou des compagnons véritables se choisissent. Cette relation n'est ni subie ni imposée. Elle implique un choix et doit être cultivée pour s'épanouir.

De la passion amoureuse à l'amour qui libère

Bien loin de *philia* – cet amour d'amitié qui nous fait grandir en nous révélant le meilleur de nous-mêmes –, nombreux sont ceux qui font rimer l'amour avec la passion : l'excitation, le plaisir, l'intensité des émotions fortes liées au désir. Or, l'amour-passion est porteur de déceptions. La passion, comme son nom l'indique, est un amour passif, au sens spinoziste du terme, un amour qui engendre des joies passives, car il se fonde souvent sur une illusion ou des projections ; nous attendons de l'autre qu'il comble nos besoins, nos peurs, nos manques, et pour cela, nous l'idéalisons. Ou bien nous l'identifions inconsciemment à l'un de nos parents et nous reproduisons, toujours de manière inconsciente, le type de lien affectif que nous avions, enfant, avec ce parent. Ces illusions expliquent le caractère éphémère de la passion : tôt ou tard, elle finit par se dissiper. On dit que l'amour dure trois ans. L'amour véritable, non. La passion amoureuse, oui, et même plutôt six mois !

Il arrive aussi que l'amour-passion se transforme en haine. C'est tout à fait logique si l'on se réfère à l'analyse des passions selon Spinoza.

J'ai déjà évoqué qu'il définissait l'amour comme « une joie qu'accompagne l'idée d'une cause extérieure ». Ce qui nous met en joie, c'est la pensée ou la présence de l'autre. À l'inverse, il définit la haine comme « la tristesse qu'accompagne l'idée d'une cause extérieure ». Si l'amour n'est pas fondé sur une joie active mais passive, donc liée à l'imaginaire, il se transforme tôt ou tard en tristesse, et cette tristesse n'est autre que le revers de la passion amoureuse : la haine. Dans sa forme passive, l'amour peut donc très vite basculer en haine, et vice versa. On voit ainsi des couples passer leur temps à s'adorer puis à se détester, à se désirer intensément puis à se déchirer avec la même intensité. Rien n'est d'ailleurs plus surprenant que d'observer la force de la relation qu'entretiennent beaucoup de conjoints après leur divorce. Malheureusement, il s'agit le plus souvent d'un rapport conflictuel envenimé par les difficultés liées à l'éducation des enfants, aux questions de pensions et de garde. Quelles que soient les raisons de cette impossible séparation, le résultat est un empoisonnement réciproque provoqué par un amour qui, faute de se transformer en amitié, s'entretient dans l'animosité, la rancœur, voire la haine.

C'est ce type même de relation amoureuse que Spinoza range dans les passions tristes (même si elle est teintée de fausses joies) et aliénantes. Il m'est arrivé de vivre, dans le passé, ce type de relations passionnelles – sans aller jusqu'à la haine ! – et cela m'a tellement épuisé que je dois avouer ne plus du tout les souhaiter. Même si elles procurent, au début, un désir si puissant qu'il stimule la joie de vivre, leur caractère illusoire et les déceptions qui s'ensuivent finissent par susciter plus d'émotions négatives (tristesse, colère, ressentiment, peur) que de joies véritables.

Dans une relation amoureuse, même si passion et illusions existent souvent au début, seul subsiste l'amour vrai. Alors, à quoi le reconnaît-on ? Aux mêmes signes que *philia* : la joie que réveille en nous la présence de l'autre, tel qu'il est, dans son authenticité, avec le plaisir que celle-ci nous procure. Au désir que nous éprouvons de le mettre en joie, de le voir grandir, être pleinement lui-même. Aimer une personne ne consiste pas à la posséder mais, au contraire, à la laisser respirer. Aimer, ce n'est pas accaparer l'autre, encore moins le rendre dépendant de soi, bien au contraire, c'est vouloir son autonomie. La jalousie, la possessivité, la peur de perdre l'autre sont des passions qui parasitent, voire détruisent la relation de couple. L'amour véritable ne retient pas, il libère. Il n'étouffe pas l'autre, il lui apprend à mieux respirer. Il sait que l'autre ne lui appartient pas, mais qu'il se donne librement. Il recherche sa présence, mais il aime aussi la solitude et les temps de séparation, car il sait que ce sont eux qui lui feront mieux encore goûter la présence de l'aimé(e). Mieux vaut éviter l'amour fusionnel, même si, bien souvent, la fusion est le type de relation de couple que vont rechercher deux individus qui manquent de sécurité intérieure. Dans sa forme la plus authentique, l'amour relie deux êtres autonomes, indépendants, libres de leurs désirs et de leurs engagements. Un espace doit donc toujours exister entre les deux amants. C'est ce qu'illustre si bien Khalil Gibran par la voix de son Prophète :

> « Sur votre chemin commun, créez des espaces et laissez-y danser les vents du firmament.
>
> Aimez-vous l'un l'autre, mais ne faites pas de l'amour une alliance qui vous enchaîne l'un l'autre.
>
> Que l'amour soit plutôt une mer qui se laisse bercer entre vos âmes, de rivages en rivages.
>
> Emplissez chacun la coupe de l'autre, mais ne buvez pas à une seule et même coupe.
>
> Partagez votre pain, mais du même morceau ne mangez point.

Chantez et dansez ensemble dans la joie, mais que chacun de vous soit seul,

Comme chacune des cordes du luth est seule alors qu'elles frémissent toutes sur la même mélodie.

Offrez l'un l'autre votre cœur, mais sans en devenir le possesseur.

Car seule la main de la Vie peut contenir vos cœurs.

Et dressez-vous côte à côte, mais pas trop près :

Car les piliers qui soutiennent le temple se dressent séparés,

Et le chêne ne s'élève pas dans l'ombre du cyprès[36]. »

Cette forme d'amour est exactement l'inverse de la perversion narcissique. Le pervers, lui, aime en l'autre son propre reflet et cherche à le placer dans une dépendance absolue. Il commence par le flatter, le séduire, puis pour mieux l'avoir sous son emprise, le casse, l'isole de toutes ses relations, lui ôte toute sa confiance en lui-même. Et si l'autre cherche à s'enfuir, il va le séduire à nouveau pour mieux le briser. Il ne l'aime pas. Ce type de relation peut aussi se rencontrer dans la vie spirituelle. Il constitue toute la différence entre un maître spirituel et un gourou (au sens négatif que nous donnons à ce mot, pas au beau sens indien). Le maître n'a qu'une ambition : que son disciple puisse s'élever, le dépasser, devenir autonome. Le gourou n'a qu'une préoccupation : rendre son disciple dépendant de lui, incapable de se défaire de lui, en addiction vis-à-vis de lui. J'utiliserai exactement les mêmes mots pour distinguer l'amour véritable de sa perversion narcissique.

Sans aller jusqu'à l'extrémité de la perversité narcissique, beaucoup de relations amoureuses, amicales, parentales, sont entachées par la tentation de possession de l'autre. Et c'est d'ailleurs tout naturellement que nous accolons un article possessif en désignant ceux que nous aimons : « ma » femme, « mon » ami, etc. Or, l'amour ne consiste ni à appartenir à l'autre ni à le posséder. L'autre n'est jamais notre « propriété ». Ce désir de posséder pollue l'amour au lieu de le nourrir.

En ce qui me concerne, j'ai une tout autre vision de l'amour. Je le vois comme une relation ouverte et saine, où l'on est heureux que l'autre ait un jardin secret, où il peut déambuler à sa guise, avoir des amis, des relations qui lui sont propres sans que nous vivions pour autant dans une insécurité permanente. J'y vois un état d'esprit où l'on se réjouit profondément de ce qui réjouit l'autre. Où on aime l'accueillir, puis le laisser partir. Et cela vaut pour toutes les relations d'amour. « Vos enfants ne sont pas vos enfants, ils sont les enfants de la vie[37] », nous dit encore Gibran.

Cette conception implique une certaine pratique du détachement : j'aime l'autre, mais je refuse de lui être attaché ou de l'attacher à moi par un lien qui forcerait la relation. On confond souvent indifférence et détachement. Le philosophe Nicolas Go l'analyse très justement : « Alors que l'indifférence est un laisser être par absence d'amour, le détachement est un lâcher-prise par excellence d'amour, amour sans possession[38]. » D'un point de vue psychologique, cette attitude exige d'avoir une sécurité intérieure. Elle implique la conviction que l'on est vraiment « aimable », mais aussi l'acceptation du risque, celui de voir l'autre aimer une autre personne, voire nous quitter. Rien de tel que le manque de confiance en soi pour faire naître la crainte, l'appropriation et la jalousie. Si l'autre nous quitte, ce n'est pas qu'un tiers s'en est emparé, c'est qu'il est peut-être tout simplement malheureux avec nous. En l'étouffant, on l'a privé de joie. Au lieu de le faire grandir, on a tissé avec lui des liens névrotiques qui freinent ou inhibent son processus d'individuation.

Quand nous n'éprouvons pas, ou plus, de joie dans une relation, demandons-nous si celle-ci est bonne pour nous. Si nous éprouvons de la tristesse de manière récurrente, interrogeons-nous de la même manière. Ce sentiment vient bien souvent du fait que nous ne sommes plus nous-même. L'évaluation d'une relation exige un travail de discernement. L'autre est-il toxique pour nous ? Dans ce cas, engageons-nous dans un processus de déliaison et de reliaison avec cette personne, ou bien – si c'est impossible, si l'autre ne le souhaite pas – avec quelqu'un d'autre qui nous permette de nous épanouir véritablement, selon notre nature profonde. À l'instar des fleurs, certains terreaux, certaines expositions peuvent nous éteindre. D'autres nous aideront à grandir : ce sont les relations justes. Celles qui entretiennent la flamme de la joie.

La joie du don

Il existe un autre type de relation d'amour que la passion amoureuse ou l'amour d'amitié, lesquels, on l'a vu, sont fondés sur un choix mutuel et la réciprocité. Je l'appellerai l'amour-don. On aime sans rien attendre en retour. C'est l'amour inconditionnel que peuvent ressentir des parents pour leur enfant. C'est cet amour-là qui nous habite aussi quand nous aidons quelqu'un de manière désintéressée, parfois même un inconnu, quand nous lui permettons de se redresser, de se relever, de marcher, de retrouver goût à la vie. C'est l'amour-compassion (*karuna*) du bouddhisme du Grand Véhicule, qui se distingue de la simple bienveillance (*maitri*) du bouddhisme primitif. Les auteurs du Nouveau Testament ont inventé un mot grec pour le qualifier : *agapê*. Cet amour-don qualifie à la fois l'amour divin et celui par lequel on peut aimer autrui de manière gratuite. Il est source d'une très grande joie, sans doute l'une des plus belles et des plus pures qu'il nous soit donné de connaître. Une phrase de Jésus m'a marqué : « Il y a plus de joie à donner qu'à recevoir[39]. » Curieusement, cette phrase ne figure pas dans les quatre Évangiles, pourtant entièrement consacrés à relater la vie du Christ et son message. Elle est rapportée par Paul dans les Actes des Apôtres. À ma connaissance, c'est l'unique parole du Christ qu'il rapporte. Et s'il n'a retenu que celle-ci, c'est certainement parce qu'il devait la considérer comme l'une des plus importantes qui soit : « Il y a plus de joie à donner qu'à recevoir. » Et heureusement ! Sans la joie que procure le don, qu'en serait-il de l'entraide ou du partage ? Les sociétés humaines pourraient-elles survivre si nous connaissions la joie uniquement lorsque nous prenons ou simplement lorsque nous recevons ? Nous avons tous vécu cette extraordinaire expérience de la joie du don. Ces quelques instants d'échange, où l'on peut parfois lire un bonheur intense dans le regard de celui à qui nous donnons, sans rien attendre en retour, comptent parmi les moments les plus forts de nos vies.

La joie a l'étrange faculté de s'accroître quand on la donne. Médecin des âmes, Victor Hugo résume cette vérité dans un passage de son chef-d'œuvre, *Les Misérables*. Chaque après-midi, Cosette a le droit de passer une heure auprès de son sauveur. Hugo écrit : « Quand elle entrait dans la masure elle l'emplissait de paradis. Jean Valjean s'épanouissait, et sentait son bonheur s'accroître du bonheur qu'il donnait à Cosette. La joie que nous inspirons a cela de charmant que, loin de s'affaiblir comme tout reflet, elle nous revient plus rayonnante. »

Aimer la nature… et les animaux

L'amour ne se limite pas à la relation avec autrui. Le lien de communion ne se limite pas aux relations interpersonnelles. Les Grecs évoquaient l'idée de « s'accorder au monde » de manière harmonieuse. Ne pas être à contre-temps. S'inscrire dans la ronde de la vie. Participer à une symphonie, sans être l'instrument dissonant. S'accorder au monde, c'est entrer en résonance avec nos proches, la cité, la nature, le cosmos. C'est refuser de détruire la planète et de la piller, c'est entretenir des relations respectueuses avec tous les êtres sensibles. C'est, fondamentalement, mener une vie éthiquement juste, mais, plus encore, c'est vibrer dans la joie de se sentir en harmonie avec ce qui nous entoure. Toute expérience de la beauté recèle cette faculté. Contempler une œuvre d'art qui nous émeut, s'arrêter devant la perfection de la nature nous relient à ce quelque chose qui nous dépasse et nous pousse de la sorte à transcender notre moi. La contemplation nous grandit, elle fait émerger la partie la plus noble de nous-mêmes. Aristote considérait qu'elle est, avec l'amour d'amitié, la réalisation la plus forte du bonheur et de la joie.

Je ne remercierai jamais assez mes parents d'avoir délibérément choisi de vivre à la campagne afin que leurs enfants grandissent dans la nature. Mon père a ainsi accepté pendant des années de faire deux heures de train par jour pour se rendre à son bureau et nous permettre ainsi de grandir dans une maison entourée d'un grand jardin, lequel était encerclé par les deux bras d'une rivière. Toute ma vie j'ai recherché ce contact, cette communion avec la nature qui m'a tant nourri dans mes jeunes années.

Ma première grande émotion d'amour, je l'ai connue enfant, non pas avec une petite camarade de classe, mais en me promenant dans la forêt : c'était une joie contemplative. Je devais avoir huit ou neuf ans. Ma tante, Antoinette, qui était ethnologue au Cameroun, m'avait rapporté un arc et des flèches. Mon père m'avait proposé d'aller chasser le faisan dans la forêt voisine du lieu où nous habitions. C'était un dimanche matin, de bonne heure. Je me souviens d'une très douce lumière qui filtrait à travers les branchages des arbres. J'avançais lentement avec mon arc, tandis que mon père me suivait, quelques mètres derrière moi. Soudain, un énorme faisan, aux couleurs somptueuses, s'est envolé juste devant moi. Je suis resté figé de stupeur. Mon père m'a hurlé : « Tire, tire ! » J'ai regardé l'animal déployer ses ailes et s'élever vers le soleil. Puis un deuxième faisan, et bientôt un troisième et un quatrième se sont envolés à leur tour, devant mes yeux ébahis. J'ai alors laissé tomber au sol mon arc et mes flèches pour contempler ce spectacle, bouleversé.

Mon cœur était rempli de joie. Mon père a compris et a posé sa main sur mon épaule, lui aussi ému par la beauté de la nature. J'ai su à cet instant que je ne serais jamais chasseur.

Quelques années plus tard, nous sommes allés en famille assister à une corrida. Lorsque j'ai vu le picador forcer son cheval terrorisé à supporter la charge du taureau, puis perforer les muscles de la nuque de l'animal traqué afin qu'il ne puisse plus relever la tête pour bien combattre, lorsque j'ai vu le sang jaillir et les gens hurler de joie, une violente nausée m'a saisi et je suis sorti de l'arène. On nous dit qu'il est impossible d'interdire les corridas, sous prétexte que c'est une tradition séculaire. Dans cette logique, les jeux du cirque, où des humains s'entretuaient – et que les chrétiens ont interdits – étaient aussi des traditions séculaires ! Et il en va de même de l'excision des petites filles dans de nombreux pays. Je suis convaincu qu'un vrai sens altruiste, une profonde sensibilité à la souffrance des êtres vivants, ne peuvent nous faire à la fois refuser celle des hommes et supporter, voire encourager, celle des animaux. Il m'arrive de tuer un moustique qui m'empêche de dormir, ou même de pêcher des poissons pour les manger juste après, mais quelle joie cruelle que celle d'ôter la vie à un être vivant par pur plaisir, juste pour éprouver sa propre puissance en donnant la mort. Quelles passions tristes et régressives que celle de la corrida, et celle de la chasse lorsqu'elle est pratiquée comme un sport ! Et je n'ai même pas évoqué ici cette industrialisation de l'élevage qui nous fait traiter les animaux comme des choses inertes (on parle d'ailleurs de « minerai » dans les élevages porcins), des machines à produire des aliments et non comme des êtres sensibles. En respectant la nature et la vie, l'être humain s'accorde au monde, il a une attitude éthique juste. En faisant l'inverse, il se désaccorde de son environnement naturel, le violente, et, tôt ou tard, le paiera cher.

La nature, je préfère la contempler plutôt que la dominer, et cette contemplation permet d'approcher le sacré. L'esprit (le *noos* pour les Grecs) est fait pour contempler, nous disent Platon, Aristote et Plotin. Il est ému par quelque chose qui le dépasse, qui le transcende, qui l'éblouit en profondeur. Or, c'est la définition même de l'émotion mystique – mot qui signifie littéralement « relatif aux mystères ». C'est ce que nous allons considérer maintenant, en évoquant ce que les sages et les mystiques du monde entier appellent « la joie pure » ou « la joie parfaite ».

6

La joie parfaite

Nous sentons et nous expérimentons que nous sommes éternels[40].

SPINOZA

Un soir d'hiver particulièrement mordant, au XIIIe siècle de notre ère, François d'Assise se rendait de Pérouse à Sainte-Marie-des-Anges en compagnie de l'un de ses frères, Léon. François était un grand saint qui vivait dans une totale pauvreté et dans une joie intense. Son existence était en osmose avec le monde : il parlait aux oiseaux, se réjouissait de la beauté qui l'entourait, partageait le peu qu'il pouvait posséder – un croûton de pain ou un fruit cueilli d'un arbre.

« En chemin, François réfléchissait à voix haute, exprimant tout ce que n'est pas la joie parfaite : elle n'est pas la sainteté, elle n'est pas les miracles ni la connaissance totale, l'omniscience, elle n'est même pas la connaissance de la langue des anges. Interloqué, frère Léon l'interroge :

– Mais alors, où est la joie parfaite ?

Léon s'attend sans doute à ce que François lui cite la prière ou la contemplation de Dieu, mais ce dernier poursuit :

– Quand nous arriverons à Sainte-Marie-des-Anges, ainsi trempés par la pluie et glacés par le froid, souillés de boue et tourmentés par la faim, et que nous frapperons à la porte du couvent, et que le portier viendra en colère et dira : "Qui êtes-vous ?" et que nous lui répondrons : "Nous sommes deux de vos frères", et qu'il dira : "Vous ne dites pas vrai, vous êtes deux ribauds qui allez trompant le monde et volant les aumônes des pauvres ; allez-vous-en." Et quand il ne nous ouvrira pas et qu'il nous fera rester dehors dans la neige et la pluie, avec le froid et la faim, jusqu'à la nuit, alors si nous supportons avec patience, sans trouble et sans murmurer contre lui, tant d'injures, tant de cruauté et tant de rebuffades, et si nous pensons avec humilité et charité que ce portier nous connaît véritablement, et que Dieu le fait parler contre nous, ô frère Léon, écris que là est la joie parfaite[41]. »

La morale de cette histoire est la suivante : lorsque notre ego est le plus maltraité, lorsque sans raison, et même à tort, on nous rejette, le moment est venu de tout abandonner : la colère, la tristesse, le ressentiment n'ont plus d'importance, puisque je ne m'identifie plus à cet individu, qui s'appelle François, qui a besoin de reconnaissance, de confort, de consolation. Si je peux laisser tout cela, je suis dans la joie parfaite.

Le mental et l'ego

Pour mieux comprendre le propos de ce saint chrétien, je vous invite à faire un audacieux détour par la philosophie de l'Inde. La philosophie et la psychologie hindoues – remarquablement synthétisées au XXe siècle par Swami Prajnanpad, dont l'enseignement a été vulgarisé en Occident par son disciple français Arnaud Desjardins – ont mis en valeur un fonctionnement de l'esprit humain, repris de plus en plus aujourd'hui par des psychologues occidentaux dans leurs tentatives de mieux comprendre notre psyché. Selon cette philosophie, notre personnalité se structure autour de deux instances : l'ego et le mental. L'ego, c'est ce qui fait que nous avons spontanément des attirances et des répulsions : j'aime/je n'aime pas. Et, spontanément, nous allons fonctionner selon ce critère : telle chose m'est agréable, je la prends ; telle autre m'est désagréable, je la rejette. C'est un fonctionnement de survie, utile dès la prime enfance pour notre croissance : personne n'aime se brûler ni se blesser, chacun apprécie une activité qui nous convient et nous aide à grandir. L'ego peut ainsi se développer grâce à cette protection indispensable. Pourtant, ce fonctionnement a des limites : dans la vie, il n'y a pas que des choses agréables. Et même des choses agréables sur le moment peuvent se révéler toxiques sur le long terme. L'éducation d'un enfant consiste à discipliner son ego. Elle lui enseigne que l'agréable n'est pas toujours un vecteur de justesse et que le désagréable peut être bénéfique. On prend ce médicament qui soigne ou un traitement qui fortifie (enfant, j'avais droit à ma ration d'huile de foie de morue, vraiment désagréable à avaler), on va à l'école, même si on préférerait être en vacances ou devant sa console de jeux, etc. L'ego est donc le logiciel de notre perception de l'agréable et du désagréable, que l'éducation va nous apprendre à maîtriser. Parallèlement, l'ego est le support de nos émotions : peur, colère, tristesse, joie… qui contribuent de manière déterminante à la construction de notre personnalité, en modifiant nos comportements, nos pensées, nos croyances, nos appétences, nos répulsions. Notre fonctionnement émotionnel accompagne le développement de notre ego.

Et celui-ci va édifier ce que l'on appelle, depuis Freud, dans la psychologie occidentale, le moi, c'est-à-dire l'instance à laquelle on s'identifie dans notre fonctionnement conscient. On va donc s'identifier à notre ego.

La deuxième grande instance mise en avant par la psychologie hindoue est le mental. Tout comme l'ego, le mental a une fonction vitale : il nous permet de survivre. C'est un logiciel de la pensée qui nous aide à rationnaliser, à donner une explication aux événements qui adviennent, à les justifier, quitte à inventer des mensonges, et c'est souvent le cas. La mission du mental est de nous faire accepter le réel, même lorsqu'il n'est pas acceptable. À justifier l'absurde, le dramatique, à lui trouver des raisons, des causes, pour nous permettre de survivre, donc aussi de grandir. Par exemple, un enfant croit spontanément que ses parents l'aiment d'un amour inconditionnel : c'est ce qui lui permet de grandir. Le jour où, fatigués, à bout de nerfs, ses parents le réprimandent de manière injuste ou excessive, il ne peut pas remettre en question sa croyance en leur amour inconditionnel : ce serait trop dangereux pour lui. Son mental va alors essayer de rationnaliser cette colère : « Maman m'aime, mais c'est moi qui suis mauvais, qui ne suis pas digne d'amour. » Cette explication élaborée par le mental est mensongère. Mais l'enfant peut au moins se raccrocher à quelque chose, trouver une explication à cette colère incompréhensible, et cette cohérence lui permet de continuer à supporter l'existence.

Pour Freud, mais c'est un point de vue, le plus grand mensonge du mental est l'invention de Dieu ou de la Providence, qui advient le jour où nous prenons conscience des menaces, des dangers du monde. Freud a nommé cela le « désemparement », pallié par cette croyance en une force supérieure, une protection absolue qui rassure. C'est cette construction dont il reconnaît l'utilité qu'il érige en exemple de mensonge – à caractère psychotique (refus du réel) – du moi..., du « mental », préciseraient les penseurs de l'Inde, qui ne partagent pas pour autant la conception freudienne concernant le divin.

Ego et mental, on vient de le voir, sont donc les deux instances nécessaires pour nous aider à survivre, à nous élever et à dépasser les obstacles et les dangers inhérents à l'existence. Quand notre personnalité est construite, nous sommes complètement identifiés à notre ego : je suis Frédéric, un Frédéric qui s'est édifié grâce aux images que les autres m'ont renvoyées de moi-même, grâce aux émotions, aux croyances et aux pensées qui ont forgé ma personnalité. Mon ego ne fait plus qu'un avec moi : je suis mon ego. Quant à mon mental, il est le logiciel de survie qui guide mon cerveau, qui m'inspire dans toutes mes pensées, mes décisions, etc.

Lâcher le mental, ne plus s'identifier à l'ego

Une fois que ces méthodes palliatives ont été trouvées, encore faut-il que ce qui est nécessaire à la survie ne devienne pas un obstacle au véritable épanouissement de l'être. Pour une raison évidente : l'ego et le mental ont établi un filtre entre le réel et nous. Comme nous ne percevons la réalité qu'à travers ce filtre permanent, des pans entiers de celle-ci nous échappent. Ces prismes, les mensonges du mental et l'égoïsme de l'ego, qui assurent bien ma survie, me privent donc également de l'accès aux plus grandes joies, celles qui viennent du réel, de la rencontre avec le monde tel qu'il est et avec les autres tels qu'ils sont. Je ne parle pas ici des « petites » joies de l'ego, mais des joies actives décrites par Spinoza. Retrouver le véritable accès à celles-ci implique nécessairement de lâcher, de dépasser, de transcender son ego et d'abandonner la boussole du mental – ces deux systèmes qui ont pourtant été indispensables à notre croissance.

Ego et mental ne cessent pas pour autant d'exister : ils seront toujours présents. Mais ils cessent d'être aux commandes. Ils n'ont plus le contrôle de notre vie. La raison et l'intuition prennent alors le pas sur le mental et l'esprit – le Soi hindou –, sur notre construction égotique. La pratique du lâcher-prise, que j'ai déjà longuement évoquée, va nous permettre de transcender l'ego et le mental qui nous incitent à vouloir tout maîtriser. Et plus nous progressons dans ce travail de lucidité, d'individuation, de consentement à la vie, plus nous découvrons que nous ne sommes pas uniquement cet ego auquel nous nous sommes identifiés. J'accepte ainsi de ne plus seulement me résumer au personnage de Frédéric construit par ses émotions, ses croyances, ses pensées, son mental. Mais je ne cesse pas d'exister pour autant, car en moi subsiste quelque chose de beaucoup plus radical que Frédéric : c'est le Soi, une identité très profonde, qui relève de mon esprit. Cette identité ayant été en permanence parasitée par mes croyances, et les images successives de moi-même forgées au fil de mon existence, j'ai besoin, pour me reconnecter à ce Soi, de mener un véritable travail à travers les deux grandes voies de libération et d'amour, déjà évoquées dans les chapitres précédents, et que nous allons évoquer plus précisément dans ce qui suit.

Le processus d'individuation, l'effort introspectif lucide, bref le cheminement vers soi conduit, paradoxalement, à la libération de soi ou, plus précisément, à la libération d'un soi identifié à l'ego. Un authentique travail d'accomplissement de soi conduit en effet à vivre une expérience de dépossession de soi. Il permet le passage du moi au Soi. Plus je descends en profondeur et en vérité en moi-même, plus je me libère de la fausse identité de l'ego, édifié par mon mental et mes émotions depuis ma plus tendre enfance.

C'est cela qu'évoque le Bouddha, lorsqu'il décrit l'expérience de l'Éveil, expérience illuminative qui repose essentiellement sur la prise de conscience de l'illusion de l'ego. C'est aussi très précisément ce que Spinoza évoque à la fin de l'*Éthique*.

Au terme de ce long processus rationnel de libération des passions tristes liées à nos idées inadéquates, nous accédons à un troisième genre de connaissance (après l'opinion et la raison) : la connaissance intuitive. Celle-ci nous permet de saisir la relation entre une chose finie et une chose infinie ; ainsi, nous pouvons saisir l'adéquation entre notre monde intérieur ordonné par la raison et la totalité de l'Être, entre notre cosmos intime et le grand cosmos, entre nous et Dieu (identifié à la Nature, c'est-à-dire à la Substance infinie). Cette saisie intuitive est source de la plus grande joie qui soit : « Notre souverain bien et notre Béatitude reviennent à la connaissance et à l'amour de Dieu[42] », écrit Spinoza.

À la différence de la mystique telle qu'elle se déploie au sein des monothéismes prônant un Dieu personnel révélé, la mystique spinoziste est une mystique de l'immanence : elle ne procède pas de la foi, mais de la raison et de l'intuition. Le sage ne s'unit pas à un Dieu personnel, mais il saisit qu'il fait partie de Dieu, entendu comme la Substance infinie du monde : « Tout ce qui est, est en Dieu, et rien ne peut, sans Dieu, ni être, ni être conçu. » C'est une mystique fondée sur une conception non dualiste du monde, ce qu'on appelle un « monisme ». Comme je l'ai fait remarquer dans un précédent ouvrage[43], il y a, à cet égard, une profonde similitude entre la métaphysique du Vedanta hindoue, issue des *Upanishad*, et celle de Spinoza : Dieu n'existe pas hors du monde : le monde et Lui participent de la même substance ; tout est en Dieu, comme Dieu est en tout. C'est parce qu'il est sorti de la dualité, nous dit la sagesse de l'Inde, que le sage devient un « délivré vivant » (*jîvan mukta*) qui vit dans « la pleine félicité de la pure conscience, qui est une » (*Saccidânanda*).

De même, le sage spinoziste est totalement libéré de la servitude et atteint à la « béatitude éternelle » : « Nous sentons et nous expérimentons que nous sommes éternels[44]. »

Comme le sage hindou, le sage spinoziste s'est libéré de l'ego, siège des passions et source de la conscience duelle : il y a moi et le monde, moi et les autres, moi et Dieu. Spinoza n'est d'ailleurs pas le premier ni l'unique philosophe occidental à prôner une mystique immanente de la non-dualité. Plotin, le philosophe platonicien du IIIe siècle, affirmait avoir atteint l'extase pure (c'est ainsi qu'il nommait la joie) à travers la contemplation de l'Un auquel on accède en apprenant à « vivre selon l'esprit », c'est-à-dire la partie la plus haute de soi-même, autrement dit en se détachant de ses passions et de tout ce qui constitue le mental et l'ego. « Lorsque l'âme s'est détournée des choses présentes, elle voit subitement le Bien apparaître en elle. Rien entre elle et lui, ils ne sont plus deux, mais les deux ne font qu'un[45] », écrit-il.

Il en va exactement de même lorsqu'on emprunte la seconde voie, celle de l'amour, de la communion avec les autres et avec le monde. La joie de la reliaison – aux autres et au monde – à laquelle j'ai consacré les pages qui précèdent, la joie de la contemplation et celle du don ont toutes un point commun : l'espace d'un instant, ou plus durablement, l'individu s'oublie, cesse de penser à lui-même, aux tracas quotidiens. L'amour véritable et la contemplation font exploser les frontières de son moi restreint, rabougri, pour l'ouvrir à une dimension universelle, divine, quel que soit le nom que l'on donne à cette expérience de transcendance de l'ego. Même lorsqu'ils empruntent une voie dualiste – celle de la Révélation biblique –, les mystiques juifs, chrétiens ou musulmans vivent des expériences extatiques intenses qu'ils décrivent en termes non dualistes, dans lequel leur ego est totalement dissous : « Ce n'est plus moi qui vis, mais c'est le Christ qui vit en moi », s'exclame saint Paul[46]. C'est parce qu'il proclamait « Je suis Dieu », que le saint musulman Al Hallaj (VIIIe siècle) a été mis à mort. On pourrait citer également des auteurs non religieux qui affirment avoir vécu des expériences mystiques similaires. Romain Rolland, un écrivain français de la première moitié du XXe siècle, n'était pas croyant, mais il a trouvé la belle expression de « sentiment océanique » pour décrire ce sentiment d'unité avec l'univers, avec – pour reprendre ses propres termes – « ce qui est plus grand que soi ». À Freud, qui lui rétorquait que cette expérience était d'ordre purement névrotique,

Romain Rolland répondit : « J'aurais aimé à vous voir faire l'analyse du sentiment religieux spontané ou, plus exactement, de la sensation religieuse qui est [...] le fait simple et direct de la sensation de l'"éternel" (qui peut très bien n'être pas éternel, mais simplement sans bornes perceptibles, et comme océanique)[47]. »

Dans *Les Deux Sources de la morale et de la religion*, Bergson, encore lui, livre une analyse lumineuse du phénomène mystique. Il affirme que les plus grandes joies sont celles que vivent les mystiques, lorsque leur volonté coïncide avec celle de Dieu (ou du divin) et qu'ils ont dépassé les limites étroites de leur moi, pour se laisser saisir par l'élan créateur de la vie. Bergson avait également montré que c'était le propre des créateurs : ils se relient au courant de la vie, à l'élan vital qui traverse tout le mouvement de la vie. Coincés dans nos petits ego, limités à nos petites ambitions personnelles, nous passons à côté de cet élan, à côté du flot de la vie qui n'est que création et joie. Le philosophe allemand Arthur Schopenhauer, qui a vécu au XIXe siècle et était réputé pour sa vision pessimiste du monde, a également écrit des pages magnifiques sur la joie pure que procure l'art, et notamment la musique : « Ce qui distingue la musique des autres arts, c'est qu'elle n'est pas une reproduction du phénomène ou, pour mieux dire, de l'objectivité adéquate de la volonté ; elle est la reproduction immédiate de la volonté elle-même et exprime ce qu'il y a de métaphysique dans le monde physique, la chose en soi de chaque phénomène[48]. » L'expérience de la musique est de type cosmique, mystique même, tant est forte sa capacité à nous sortir de notre ego, de notre sentiment d'individualité, à nous élargir à l'universel. En nous reliant à quelque chose qui nous dépasse – l'harmonie, la beauté –, elle peut nous introduire dans l'une des plus belles expériences de la joie. Ce que Nietzsche exprime avec force, en évoquant l'extase dionysienne provoquée par la musique : « Nous goûtons le bonheur de vivre, non pas en tant qu'individus, mais en tant que la substance vivante, une, confondus dans sa joie créatrice[49]. »

Ainsi, le travail de libération intérieure (déliaison) et de juste communion avec le monde (reliaison) nous permet de ne plus voir l'ego et le mental comme les uniques pilotes de nos existences. Nous cessons de nous identifier à notre ego, et la connaissance rationnelle et intuitive de nous-même et du monde remplace les opinions du mental. Nous devenons alors pleinement nous-même, et cette plénitude, loin de nous renfermer, nous relie avec les autres, le monde, l'univers, le divin. Plus rien ne peut nous atteindre, puisque nous avons cessé de tirer nos peines et nos joies de notre ego. Il en résulte une joie infiniment plus grande que toutes celles que l'on avait pu connaître auparavant.

C'est la joie parfaite vécue par François d'Assise.

Un chemin progressif vers la joie pure

Ce chemin vers la joie parfaite peut sembler ardu, difficile, presque inaccessible. Et sans doute le serait-il si nous l'imaginions comme un basculement instantané, un passage éclair entre un avant et un après. En réalité, c'est un cheminement progressif. La joie parfaite n'est pas une récompense que l'on gagne au terme du parcours : c'est une grâce qui nous accompagne tout au long de ce chemin de liberté et d'amour. Certes, le but de ce chemin est l'Éveil, la réalisation de soi dans laquelle l'ego est définitivement transcendé, ce qui procure une joie permanente. Mais, tout au long du chemin, nous vivons déjà des joies pures chaque fois que nous mettons de côté, même ponctuellement, notre mental et notre ego, chaque fois que nous franchissons une étape importante, que notre conscience s'élargit, que nous sommes mieux accordés à la mélodie du monde. Pour la plupart d'entre nous, l'Éveil est une expérience graduelle. Nous ne sommes pas subitement illuminés, tel le Bouddha, mais nous cessons progressivement de nous identifier à notre ego, nous apprenons à écarter le mental et à arrêter de vouloir tout contrôler, nous sommes de plus en plus nous-mêmes et dans des relations plus justes avec les autres. Chaque pas en avant nous libère un peu plus, ouvre davantage notre cœur et agrandit la puissance de notre joie.

Nous pouvons ainsi vivre des expériences de joies pures, enivrantes, pleines, qui manifestent que nous progressons vers ce chemin de libération de l'ego, sans être pour autant parvenus au bout de ce chemin. Il est important de distinguer ces expériences ponctuelles de cet état de joie parfaite et permanente, celui qu'atteignent les sages et les saints totalement libérés de leur ego. Mais tant que notre ego et notre mental sont encore aux manettes, même si nous cheminons favorablement dans la vie intérieure, ces moments de joies pures sont suivis d'obstacles et de souffrances intérieures qui proviennent de nos parts d'ombre.

Je l'ai expérimenté de manière très intense entre vingt et vingt-trois ans. Je n'oublierai jamais cette période de ma vie très particulière où j'ai ressenti des joies absolues et de grandes souffrances intérieures.

J'avais entamé des études de philosophie à l'université de Fribourg, en Suisse. Lors de ma deuxième rentrée universitaire, j'avais prévu de m'installer dans une nouvelle colocation. C'était une maison extraordinaire, baignée de soleil, construite en pleine nature au bord d'une rivière, et pourtant toute proche de l'université. Je devais occuper l'une des trois chambres destinées aux étudiants. À la fin de l'année universitaire, avant de partir en Inde pour quatre mois, j'y suis allé pour déposer mes effets personnels. J'ai été accueilli par une ravissante Anglaise, une étudiante en médecine, pour laquelle j'ai eu un coup de foudre immédiat. Et ce sentiment était visiblement partagé. Je suis parti en Inde rencontrer des maîtres spirituels tibétains et travailler dans une léproserie et un mouroir tenus par les sœurs de Mère Teresa, comme je l'ai déjà évoqué. Là-bas, j'ai ressenti un appel à m'engager dans une vie monastique, afin de me consacrer entièrement à la vie spirituelle, tout en poursuivant mes études de philosophie. Sitôt de retour en Europe, ayant décidé de rejoindre un monastère, je suis donc revenu chercher mes affaires dans la maison de Fribourg. La jeune étudiante anglaise, qui ignorait tout de ce qui m'était arrivé pendant les quelques mois écoulés, m'a accueilli avec tant de bonheur que j'en ai été troublé. Je ne parvenais pas à lui annoncer ma décision. Nous avons bavardé pendant deux heures avant que j'ose me lancer. Elle a fondu en larmes, j'étais moi-même ébranlé : notre merveilleuse rencontre n'allait pas pouvoir se prolonger. J'ai pris mes valises, profondément ému. J'ai rejoint un couvent, toujours à Fribourg, où la communauté au sein de laquelle j'allais bientôt m'engager m'avait réservé une chambre pour la nuit. Habité par quelques vieilles religieuses, le couvent était austère et froid ; les portes des cellules s'ouvraient le long d'un couloir lugubre. Une religieuse, un peu barbue et pas très aimable, m'a escorté jusqu'à celle qui m'était dévolue : un espace de six mètres carrés qui sentait le renfermé. Elle m'a sèchement fourni quelques indications avant de sortir. Aussitôt la porte de la cellule refermée derrière elle, j'ai songé à la délicieuse maison au bord de la rivière et à la ravissante jeune femme que je venais de quitter. En l'espace de quelques instants je me suis imaginé vivre une magnifique histoire d'amour avec elle dans cet endroit lumineux, puis j'ai regardé la cellule déprimante où je me trouvais désormais, imaginant que je passerais peut-être le reste de mes jours dans un lieu aussi sordide. Soudain, mon cœur s'est tourné vers le Christ, dont j'avais décidé de suivre les pas. Une joie immense, totalement imprévisible, m'a submergé. J'ai pleuré de joie pendant la moitié de la nuit. J'étais dans la joie pure d'avoir donné ma vie, de ne plus m'appartenir.

J'ai passé un peu plus de trois ans et demi au monastère. La première année, malgré les difficultés d'une vie chaste et austère, j'ai encore connu des joies extraordinaires. Puis, j'ai effectué ma prise d'habit, premier pas vers un engagement dans la voie monastique. Le soir même, j'ai fait un rêve puissant et angoissant : j'étais à skis, en robe de bure, au sommet d'une montagne et je m'étais donné pour mission de battre le record du monde de vitesse. Je me mets à débouler la pente. Sur le versant opposé une foule nombreuse assiste au spectacle. Je pulvérise le record, mais je ne parviens pas à freiner, et la vitesse m'emporte de l'autre côté du versant ! Je fends la foule effarée et atteins le sommet de l'autre montagne… avant de basculer dans un abîme sans fond.

Dans les semaines qui ont suivi, j'ai traversé une profonde crise psychique : perte de sommeil, apparition de phobies, crises d'angoisse massives sans raisons apparentes. J'ai compris plus tard la signification de ce rêve et de cette crise : mon ego avait été mal structuré. Il était fragile et en quête de reconnaissance : celle de mon père toujours, dont je continuais à rechercher l'approbation, puis celle des autres, de la société. Mon désir de vie monastique, même s'il était mû par un authentique amour du Christ et un désir de progression spirituelle, était aussi une manière d'être reconnu, admiré et de dépasser mon père dans un autre domaine que la vie sociale où il avait excellé, puisqu'il avait été secrétaire d'État : devenir un saint ! Au plus profond de moi, je n'étais pas libre. Phobies et angoisses étaient les symptômes de cette profonde névrose.

Il m'a fallu plus de deux ans pour commencer à le comprendre, grâce à une conférence de Jean Vanier, le fondateur des communautés de l'Arche, où des personnes avec un handicap mental vivent dans des maisonnées avec des assistants de vie. Jean Vanier était venu nous parler de l'un des plus grands pièges de la vie spirituelle et monacale : la blessure narcissique et le besoin de reconnaissance qui en découle, qui font qu'on cherche à s'élever, à devenir un héros spirituel, sans reconnaître la profonde fragilité sur laquelle cette aspiration prend appui. Ce fut pour moi une véritable illumination, source d'une grande joie, qui m'a permis de poursuivre mon chemin intérieur avec plus de lucidité et de vérité. Quelques mois plus tard, je prenais la décision de ne pas prononcer mes vœux définitifs et de quitter le monastère. Cette décision était aussi dictée par d'autres motifs, notamment un malaise intellectuel grandissant. Je ne supportais plus un certain discours que résume parfaitement l'adage ancien : « Hors de l'Église, point de salut. » Pour prendre un seul exemple : j'avais rencontré en Inde des moines bouddhistes et des sages indiens rayonnants de compassion et j'entendais régulièrement des théologiens et des prêtres occidentaux, à la mine parfois aussi terne que leurs soutanes, évoquer avec mépris – et une totale méconnaissance – ces spiritualités orientales « si imparfaites comparées à la religion chrétienne ». Mais la raison la plus profonde qui a motivé mon départ a sûrement été la prise de conscience de cette blessure narcissique, qui me poussait à rechercher la reconnaissance à travers une vie spirituelle héroïque.

Ne pas vouloir « tuer » l'ego

On peut ainsi vouloir lâcher l'ego et être sans cesse rattrapé par lui ! De fait, on ne peut le lâcher, le dépasser, que s'il est bien structuré.

Sinon, on risque d'aller vers une illusion spirituelle qui peut mener à la folie. J'ai vu d'autres individus dans des groupes spirituels, notamment dans des monastères chrétiens et bouddhistes, qui « pétaient les plombs » de manière beaucoup plus grave. Leur ego était déstructuré et, en voulant l'abandonner dans leur quête de sainteté ou de libération, ils aboutissaient parfois à une dissolution de la personnalité d'ordre psychotique. La vie spirituelle, surtout de nos jours, ne peut faire l'économie d'un travail psychologique, d'un authentique effort de connaissance de soi et de nos motivations. D'autant plus qu'on assiste parfois à une confusion terrible entre « lâcher l'ego », c'est-à-dire cesser de s'identifier à lui et « tuer l'ego ». Car lâcher l'ego ne signifie pas le tuer, ni supprimer la personnalité et le sentiment d'individualité sur laquelle elle se fonde. Cette confusion existe chez certains néo-bouddhistes occidentaux, mais on la trouve aussi dans tout un courant ascétique chrétien fondé sur le « mépris du moi » qui encourage à la haine de soi au nom de l'amour de Dieu et à des pratiques de mortifications ou d'humiliations visant à briser l'ego et à l'éradiquer. De telles pratiques ne peuvent que provoquer l'effet inverse de celui escompté. Ne disait-on pas, à propos des religieuses jansénistes de l'abbaye de Port-Royal, adeptes de ce genre de mortifications, qu'elles étaient « pures comme des anges, mais orgueilleuses comme des démons » ?

En sortant du monastère, j'ai pris la résolution d'entreprendre un travail sur moi, sur mes émotions et mes croyances. En somme, de faire un travail d'individuation : j'avais besoin de me connaître, de me comprendre. Après une psychanalyse et plusieurs autres thérapies qui m'ont aidé à me restructurer, j'ai pu poursuivre un chemin spirituel sur des bases plus solides, plus mûres. Parallèlement au travail thérapeutique, j'ai eu la chance d'avoir une vie affective qui m'a nourri, et, un peu plus tard, une reconnaissance sociale dans ma profession qui m'a réconforté, apaisé. Aujourd'hui, la conjugaison de ces efforts me permet de beaucoup mieux lâcher l'ego, de ne pas chercher sans cesse un surplus de reconnaissance et, je vais le dire crûment, de ne pas avoir « la grosse tête », de rester lucide. Mais, j'insiste, cela n'est possible que parce que mon ego a été bien restructuré, qu'il a été bien nourri, et que j'ai reconnu mes parts d'ombre. Sans amour, sans reconnaissance, sans effort de lucidité, je vivrais peut-être encore sous la dépendance du regard approbateur ou réprobateur d'autrui. La joie profonde qui m'habite désormais vient de ce long travail de libération et de communion, de déliaison et de reliaison, de lâcher-prise et de consentement à la vie que je mène depuis bientôt trente ans… et le chemin est loin d'être fini !

On peut se décourager et se dire qu'il est bien fastidieux de consentir de tels efforts pour accéder à une source de joie permanente. Que la vie est mal faite, trop difficile et exigeante. Il aurait été tellement plus simple que la joie nous fût donnée d'emblée, plutôt que d'avoir à mener un tel travail sur soi pour la faire grandir jusqu'à la joie parfaite. Nous allons voir, dans le dernier chapitre de ce livre, qu'en fait la joie parfaite nous est offerte dès notre venue au monde. Elle s'appelle la joie de vivre. Comme le souligne à juste titre le philosophe Clément Rosset, « toute joie parfaite consiste en la joie de vivre et en elle seule[50] ». Et c'est simplement parce que nous avons perdu cette joie originelle que nous devons accomplir cet effort de déliaison, de reliaison et de consentement. La joie de vivre de l'enfant est la joie parfaite. Ce qui transporte le saint ou le sage, c'est la joie de l'enfance retrouvée. Mais plus rien ne pourra cette fois la faire disparaître, car elle est devenue active et consciente.

7

La joie de vivre

Si notre âme, un instant, a, comme une corde, vibré et résonné de joie de vivre, alors toutes les éternités étaient nécessaires pour que cet unique événement ait lieu[51].

NIETZSCHE

La Joie de vivre, tel est le titre du douzième tome de la saga des Rougon-Macquart d'Émile Zola. Son héroïne, Pauline, orpheline à l'âge de dix ans, quitte Paris pour le hameau de Bonneville où vivent les Chanteau qui ont accepté sa tutelle. « Dès la première semaine, la présence de Pauline apporta une joie dans la maison. Sa belle santé raisonnable, son tranquille sourire calmaient l'aigreur sourde où vivaient les Chanteau », raconte Zola. Sa joie de vivre est communicative. C'est, chez elle, « un amour de la vie qui débordait chaque jour davantage ». C'est « la vie acceptée, la vie aimée dans ses fonctions, sans dégoût ni peur, et saluée par la chanson triomphante de la santé », poursuit Zola. Son existence est pourtant loin d'être facile : elle est abandonnée par son amoureux, puis contrainte de servir l'épouse de celui-ci, elle hérite des tâches les plus ingrates, mais elle ne se départit pas de son bonheur. À un vieillard l'interrogeant sur le pourquoi de sa joie, elle a cette réponse : « Je tâche de m'oublier, de peur de devenir triste, et je pense aux autres, ce qui m'occupe et me fait prendre le mal en patience. »

La joie spontanée des enfants

Cette joie-là, immédiate, naturelle, spontanée, on l'observe chez les enfants, avant qu'ils commencent à raisonner, à s'inquiéter. Il existe une phase de la petite enfance où l'ego n'est pas encore fortement constitué, ni le mental complètement construit ; le petit d'homme a encore accès à son intuition, à son Soi, il n'est pas prisonnier de son image et accède encore aux joies pures, pétries dans la communion avec les autres, avec le monde. Avec l'âge, le formatage, le développement des peurs et des tristesses, cet état s'estompe, puis disparaît. Très vite, et de plus en plus vite de nos jours, l'ego croît, l'enfant sera dans la peur de perdre, dans la confrontation, dans la rivalité, dans le conflit, dans le contrôle. Il verra disparaître en même temps la capacité de s'émerveiller et la joie parfaite.

Les maîtres taoïstes ne s'y sont pas trompés quand ils considèrent que le modèle du sage n'est pas seulement le vieillard, mais peut-être davantage encore l'enfant qui vit dans l'innocence, la spontanéité de la vie, la liberté à l'égard de l'ego et du mental, et donc dans la joie pure. Pour lui, tout est simple, tout est évident. Jésus, comme les maîtres taoïstes, reconnaît cette grande sagesse de l'enfance quand il lance à ceux qui veulent éloigner les enfants, afin qu'ils ne perturbent pas sa prédication : « Si vous ne changez pas et ne devenez pas comme ces petits enfants, non, vous n'entrerez pas dans le royaume des cieux[52]. »

Les sages ou les saints qu'il m'a été donné de rencontrer et qui m'ont fait la plus forte impression ressemblaient toujours à des enfants. Ils respiraient la joie de vivre, riaient pour un rien, avaient un côté espiègle. J'ai rencontré douze fois le dalaï-lama et, chaque fois, je me suis fait cette réflexion : cet homme qui porte tout le malheur du peuple tibétain sur ses épaules est sans cesse dans la joie et éclate de rire toutes les deux minutes... Ce qui a le don d'exaspérer bon nombre d'intellectuels parisiens, qui y voient une forme de niaiserie ! J'ai rencontré de vieux moines bénédictins et des ermites chrétiens qui étaient aussi dans le rire permanent, dans une joie aux accents enfantins qui contrastaient avec leur grand âge. C'est sans doute l'un des bienfaits de la grande vieillesse, pour ceux qui acceptent d'abandonner le contrôle de leur existence, d'être fragiles, d'avoir besoin d'aide dans leur vie quotidienne. Ils redeviennent souvent comme des enfants et sont dans la joie de vivre.

J'ai plusieurs fois évoqué dans ce livre la figure de mon père. Aujourd'hui, il a presque quatre-vingt-dix ans. C'est un homme qui a eu de grandes responsabilités professionnelles et a longtemps voulu tout maîtriser dans sa vie. Désormais, il accepte qu'on s'occupe de lui, qu'on l'aide. Je ne me souviens pas de l'avoir jamais vu aussi serein, aussi gai, entretenir avec ses proches des relations d'une telle qualité. Il n'est plus celui qui domine, il n'est plus celui qui enseigne et dirige, mais celui qui a aussi besoin des autres, celui qui est en communion avec eux. La vulnérabilité qu'il a acceptée l'a rendu plus serein, plus joyeux. Il a passé une grande partie de sa vie dans la volonté de prouver sa valeur. À présent, il est uniquement dans le lien, dans la chaleur simple du cœur.

La joie d'une vie simple

Mais la joie de vivre n'est pas que l'apanage des enfants ou des sages revenus à l'esprit d'enfance. Dans le village des Hautes-Alpes où, petit, je passais toutes mes vacances, j'ai vu des paysans travailler dur aux champs, la joie accrochée à leurs lèvres, à leurs yeux. Cette joie, je l'ai surtout observée en voyageant hors de nos frontières européennes. La première fois que je les ai franchies, à vingt ans, c'était pour me rendre en Inde. Pendant plusieurs mois, mon sac sur le dos, j'ai sillonné le pays en bus ou en train, à l'écart des voies touristiques. Je me suis arrêté dans quantité de petits villages, extrêmement pauvres, dont les habitants avaient à peine de quoi se nourrir, vivaient, pour les plus chanceux, à cinq ou six entassés dans une seule pièce, sans aucun confort. Je les imaginais torturés par le manque ; ils étaient, au contraire, tout le temps joyeux. Dans les champs, les femmes trimaient pendant des heures, leurs conversations étaient ponctuées de grands éclats de rire. Le soir, les familles m'accueillaient, rayonnantes. J'étais éberlué : du matin au soir, et du soir au matin, ils étaient tous dans la joie. Ils n'avaient aucune perspective d'avenir, aucun lendemain chantant qu'ils auraient pu entrevoir, aucun changement de vie possible ni envisageable, pourtant, ils n'étaient pas seulement dans le plaisir, ils étaient dans la joie authentique.

Je les comparais à tant de gens que je connaissais en France, qui ne pouvaient se plaindre ni de leur confort, ni de leur santé et qui peinaient cependant à esquisser le moindre sourire. J'ai alors compris ce qu'est la joie de vivre : c'est recevoir la vie comme un cadeau et s'en réjouir. Or, de nos jours, en Occident, nous recevons bien souvent la vie comme un fardeau qu'il faut assumer. Nous considérons que nous n'avons pas choisi de naître et essayons de nous en sortir sans être trop malheureux. Pourtant, la joie de vivre n'a d'autre cause que le simple fait d'exister. Rien d'autre n'est exigé : ni le confort, ni le succès, ni même la santé.

J'en ai fait l'expérience frappante dans une léproserie au cœur de la jungle du Bengale, au nord de Calcutta, où j'ai passé trois semaines. Cette léproserie était organisée en village, habité par près de quatre cents lépreux, des bébés, des enfants, des adultes. Une équipe chirurgicale leur rendait visite une fois par semaine pour amputer des mains ou des pieds nécrosés qui ne pouvaient pas être sauvés. Ce qui m'a le plus frappé dans ce village, c'est la joie qui émanait de partout. C'était stupéfiant ! Je me souviens d'un médecin allemand, très mal à l'aise dans cette atmosphère : « Mais pourquoi sont-ils joyeux, me demandait-il avec angoisse, alors que ce qui leur arrive est épouvantable, qu'ils n'ont plus de bras, de jambes ni même de visage ? » Ne pas réussir à comprendre le mettait en colère. Or, ceux-là, pauvres parmi les plus pauvres, malades parmi les plus malades, étaient, malgré tout, dans la joie de vivre puisqu'ils pouvaient encore faire l'amour, manger, parler, exister. Ils étaient dans la joie parce qu'ils aimaient la vie ! Dominique Lapierre a fait la même expérience et il la relate dans son roman, *La Cité de la joie*. Les deux religieux qui travaillent à Calcutta le notent : « Malgré la malédiction qui semblait l'accabler, ce bidonville était une cathédrale de joie, de vitalité et d'espérance. » J'ai reconnu cette joie en Afrique, dans des conditions similaires de pauvreté, de simplicité. Je l'ai retrouvée au Maroc quand j'ai traversé le Haut et le Moyen Atlas à dos d'âne. C'était il y a une vingtaine d'années et ces régions n'étaient pas encore touchées par le tourisme. Je ne suis pas encore allé à la rencontre des peuples premiers, en Amazonie ou en Papouasie. Mais je ne manque jamais, sur France 2, la très belle émission de Frédéric Lopez, « Rendez-vous en terre inconnue », qui m'amène à leur découverte. Cette émission connaît un immense succès parce qu'elle nous reconnecte à la joie de vivre, à travers le témoignage de ces peuples qui vivent dans la plus extrême simplicité, mais sont éblouissants de joie.

Libérer la source de joie qui est en nous

« L'homme est malheureux parce qu'il ne sait pas qu'il est heureux. Ce n'est que cela. C'est tout, c'est tout ! Celui qui saura qu'il est heureux le deviendra tout de suite, à l'instant même », s'exclame Kirloff le suicidaire dans *Les Possédés* de Dostoïevski, dont l'œuvre romanesque est traversée par la quête de la source qui fait naître la joie[53]. C'est le propre de nos sociétés modernes : nous réfléchissons sans cesse à ce qui va nous rendre heureux, et nous en perdons le goût d'être simplement heureux dans notre vie quotidienne. Nos sociétés occidentales offrent de grands avantages : confort matériel, amélioration de nos conditions de vie, accès à des soins médicaux performants, liberté de choisir sa vie et de la construire sur des valeurs qui nous sont propres. Tout cela constitue un progrès considérable. Mais force est de constater que nous avons bien souvent aussi perdu la joie de vivre, qui est celle de l'accueil spontané de la vie comme elle est, et non comme nous voudrions qu'elle soit. Nous sommes en permanence encombrés par un ego insatisfait et parasités par un mental qui entend tout contrôler. Cette insatisfaction est nichée au fondement même de nos sociétés postindustrielles. Nos experts ont l'œil rivé sur l'indice de consommation : ils se désespèrent si nous préférons épargner plutôt que dépenser. Cette frustration permanente face à la consommation fait tourner l'économie, elle entretient la croissance. C'est elle que la pression publicitaire nourrit en permanence. Le système se gripperait si nous cherchions notre joie ailleurs que dans les rayons des magasins. A-t-on jamais vu une campagne publicitaire vanter les joies de l'amour, de la contemplation de la nature, de l'ouverture du cœur et de l'esprit, bref de tout ce qui pourrait nous mettre dans la joie en dehors du système marchand ?

Dès lors, la reconquête de la joie de vivre passe, comme nous l'avons vu, par un effort conscient pour gagner en liberté intérieure et recréer du lien. Nous voulons vivre plus et souhaiterions être immortels, alors qu'il nous faudrait apprendre à vivre mieux et à toucher à l'éternité dans chaque instant pleinement vécu. Or nous préférons la sécurité à la vraie liberté, le bien-être à la joie. Montaigne, au XVIe siècle, avait été frappé d'observer la joie de vivre spontanée des « sauvages » brésiliens qu'on avait ramenés du Nouveau Monde et qu'on exhibait à la cour : « Pour eux toute la journée se passe à danser [...] et ils sont encore à cet heureux point de ne désirer qu'autant que leurs nécessités naturelles leur ordonne[54]. » En nous comparant à eux, Montaigne constatait à quel point, malgré notre religion prétendument supérieure, nos connaissances et notre confort matériel, nous étions « déréglés », incapables d'accéder au bonheur selon l'ordre naturel. Nous cherchons en permanence le bonheur en nous projetant dans le monde extérieur alors qu'il se trouve en nous, dans la satisfaction profonde que nous pouvons tirer des plaisirs et des joies ordinaires de la vie, qui, pour la plupart, ne coûtent rien. Quatre siècles plus tard, les choses n'ont fait qu'empirer et Henri Bergson nous met en garde : plus nous vivons dans un environnement marqué par le poids de la matière, et plus cette matière se complexifie avec l'introduction des machines nées de l'intelligence humaine, plus il nous faut « un supplément d'âme » : « La mécanique exigerait une mystique[55] », nous dit-il.

La joie de vivre que nous avons perdue, celle de notre enfance, vit encore à l'intérieur de nous, telle une source enfouie sous un tas de cailloux. Cette source de joie est permanente, même si nous n'en percevons que quelques jaillissements occasionnels. Lorsque nous nous mettons dans une certaine disposition d'esprit ou lorsque nous progressons, une pierre se déplace : un jet de joie jaillit. La joie est en nous, elle nous est donnée, mais nous l'étouffons, nous en bouchons la source à mesure que nous accumulons au-dessus d'elle les rochers qui proviennent de l'ego et du mental. Tout le cheminement vers soi et vers les autres consiste à lever ces obstacles que nous avons nous-mêmes édifiés, pour retrouver la joie simple, cette joie pure qui nous est naturellement donnée. Nos existences complexes, faites d'opportunités et de choix incessants, nous font perdre la simplicité de la relation à la vie.

La force du consentement

Clément Rosset souligne ce qu'il appelle le « paradoxe de la joie ». D'un côté, nous faisons le constat que la vie est difficile, que la souffrance est omniprésente, que le chagrin de la perte de nos êtres chers est inévitable, et, d'un autre côté, le seul fait de vivre nous met en joie. Autrement dit, rien ne justifie la joie de vivre. Woody Allen a formulé ce paradoxe à sa manière : « La vie n'est qu'une suite de problèmes, mais le pire, c'est qu'elle s'arrête ! » La pensée ne peut dès lors que constater le caractère énigmatique de cette joie inconditionnelle, que rien ne saurait rationnellement expliquer. La seule chose que nous puissions faire, c'est de prendre en compte ce paradoxe puis de le vivre ou de le refuser. Face au mal, à la douleur, à toutes les peines de l'existence, nous pouvons en effet accueillir la joie ou la refuser, choisir d'être heureux ou malheureux. J'ai déjà souligné, à propos de Nietzsche et de la pratique du lâcher-prise, que la joie accompagnait l'amour de la vie, l'acceptation profonde du destin, de ce que nous ne pouvons changer. La joie parfaite réside dans ce grand « oui sacré » à la vie, dans la force du consentement. Ce n'est pas en refusant les souffrances de la vie qu'on trouvera le bonheur, mais en les acceptant lorsqu'elles sont inévitables et en comprenant que nous pouvons aussi grandir à travers elles. Notre conscience du bonheur vient de notre connaissance du malheur, et la plupart de nos joies viennent de tristesses dépassées.

Gibran l'explique fort bien dans son *Prophète* : « Une femme dit alors : "Parle-nous de la Joie et de la Tristesse." Il répondit : "Votre joie est votre tristesse sans masque. Et le même puits d'où jaillit votre rire a souvent été rempli de vos larmes. Comment en serait-il autrement ? Plus profonde est l'entaille découpée en vous par votre tristesse, plus grande est la joie que vous pouvez abriter." » Ce que Nietzsche, une fois encore, évoque également : « Si vous éprouvez absolument la souffrance et le déplaisir en tant que mauvais, haïssables, dignes d'être supprimés, en tant que tares de l'existence [...] ah, combien peu de choses savez-vous de la félicité de l'homme, vous autres âmes confortables et bienveillantes ! Car bonheur et malheur sont deux frères jumeaux qui ou bien grandissent ensemble ou bien, comme c'est le cas chez vous, demeurent petits ensemble[56]. » Même si Nietzsche la rejette pour d'autres raisons, cette idée est inscrite au cœur même de la sagesse biblique et évangélique, comme le rappelle la théologienne protestante Lytta Basset dans son bel ouvrage *La Joie imprenable.* « Ceux qui sèment dans les larmes, moissonnent dans la joie », affirme le psaume 126, parole que Jésus reprend presque mot pour mot dans cette célèbre béatitude : « Heureux vous qui pleurez maintenant, car vous serez dans la joie[57] ! » Ceux qui ont accepté de persévérer dans la douleur, dans le doute, dans la nuit, qui ont franchi les obstacles et continué d'avancer malgré les difficultés au lieu de tenter de les éviter, ceux-là connaîtront les plus grandes joies. Non pas à cause d'une quelconque rétribution divine, mais par cette mystérieuse loi de la vie qui fait que le consentement, l'acceptation de ce qui est, ouvre la porte à la joie de vivre. L'enfant et les gens simples sont dans la joie car ils acceptent la vie comme elle est. Ils prennent la vie telle qu'elle s'offre à eux, savent recevoir ce qui est donné, n'exigent pas que la vie soit autre. Le consentement nous ouvre la porte de la joie de vivre qui nous était fermée. Il faut notre consentement pour que la vie soit aimable.

Je me suis souvent demandé pourquoi il nous arrive de pleurer lorsque nous sommes dans la joie. Je crois que c'est dû au fait que la joie vient d'une épreuve surmontée : la guérison définitive d'une longue maladie ; la victoire après un effort intense qui nous a causé de profondes souffrances ; les retrouvailles avec un proche qui avaient été longtemps empêchées. Ainsi, au milieu même de notre joie, nos larmes expriment la douleur qu'il a fallu traverser pour remporter cette victoire, pour nouer cette amitié indestructible, pour sortir d'une situation périlleuse. Elles constituent l'ultime trace d'une tristesse surmontée.

La joie donne sens à la vie et au monde

Dans ses fragments posthumes, Nietzsche a écrit ce texte puissant sur le consentement : « La question primordiale n'est absolument pas de savoir si nous sommes contents de nous-mêmes, mais si, de principe, nous sommes contents de quoi que ce soit. À supposer que nous disions *oui* à un seul instant, du même coup, nous avons dit *oui* non seulement à nous-mêmes, mais à l'existence tout entière. Car rien n'est séparé de rien, ni en nous-mêmes, ni dans les choses. Donc si notre âme, un instant, a, comme une corde, vibré et résonné de joie de vivre, alors toutes les éternités étaient nécessaires pour que cet unique événement ait lieu. Et toute l'éternité était, dans ce seul instant de notre *oui*, consentie, sauvée, justifiée, affirmée. » J'emprunte la traduction de ce texte magnifique au philosophe Martin Steffens qui l'éclaire et l'approfondit de belle manière : « Tel est l'étrange pouvoir du consentement : créer ou révéler un ordre dans le désordre apparent des choses. Faire que le destin d'une vie passivement reçue ait le doux visage d'une destinée [...] Aussi n'est-il pas faux de dire que le consentement fabrique de la liberté à partir de ce qui est subi. Il gonfle la volonté humaine aux dimensions du réel, et d'un réel toujours chaotique, au lieu de réduire, et sa part de chaos, aux petites dimensions de la volonté humaine [...] En ce sens toute joie de vivre, toute adhésion à l'existence, même passagère, a un accent cosmique[58]. »

Épilogue

La sagesse de la joie

La tempête a béni mes éveils maritimes
Plus léger qu'un bouchon, j'ai dansé sur les flots[59].

RIMBAUD

Faut-il renoncer à la sagesse ?

Le bonheur est sans doute à la mode pour le grand public, cependant il n'a pas la cote chez la plupart des philosophes modernes. C'est déjà une vieille histoire, qui remonte à Kant, pour lequel le bonheur n'est pas un idéal de la raison, mais de l'imagination. Affirmation tout à fait discutable, mais qui est devenue un dogme de la philosophie contemporaine. *Exit*, donc, la poursuite du bonheur dans une vie philosophique digne de ce nom. Seul le tragique a droit de cité. De nos jours, la pensée antibonheur a ouvert de nouveaux fronts : au nom d'une critique parfaitement fondée, et à laquelle j'ai toujours souscrit, d'un bonheur factice qui oscille entre les slogans publicitaires du confort matériel et de la réussite sociale et les recettes prémâchées du développement personnel, il est facile de démolir la poursuite du bonheur. Mais ce concept, même dévoyé par l'époque, n'est pas pour autant déconstruit. La critique de l'idéologie moderne du bonheur, fondée sur le consumérisme et le narcissisme – et portée par une injonction aussi stupide qu'écrasante à être heureux –, ne rend pas caduque pour autant la question fondamentale de la sagesse, vieille de vingt-cinq siècles : peut-on accéder ici-bas à une joie ou à un bonheur profond et durable ?

La plupart des philosophes contemporains pensent cette quête impossible parce qu'elle n'est pas raisonnable. D'autres l'estiment possible, mais inaccessible à l'homme occidental moderne. En effet, parce qu'il n'est plus inséré dans un cosmos sacré, parce qu'il est devenu trop individualiste, parce qu'il est trop sensible à son confort matériel, les portes du bonheur, tel que le concevaient les Anciens, lui sont à jamais fermées, répète-t-on à l'envi. D'autres encore contestent même le fait que la philosophie ait jamais pu aider quiconque à être heureux. Les épicuriens et les stoïciens n'ont jamais atteint l'idéal de sagesse qu'ils prônaient, affirment-ils. Spinoza n'aurait donc été qu'un doux rêveur ? Quant aux bouddhistes et aux taoïstes, ils poursuivent une quête de sérénité parfaitement inaccessible au commun des mortels.

On nous rappelle, à juste titre, que la philosophie est une quête de vérité et de lucidité. Certes, mais en quoi cela s'opposerait-il à la recherche de la sagesse, qui n'est autre que la vérité et la lucidité appliquées à l'observation de soi et à la pratique d'une éthique personnelle de vie ? Contrairement à ces sceptiques, je suis convaincu que la sagesse reste un objectif fondamental de la philosophie. Elle peut aussi utiliser dans sa pratique des outils modernes – comme la psychothérapie – ou venus d'ailleurs – comme les techniques des sagesses orientales. Elle n'en sera que plus riche et foisonnante. Spinoza reste pour moi le modèle du philosophe qui a su utiliser l'effort rationnel pour penser et vivre une existence conduisant à un bonheur global et durable, qu'il a appelé la béatitude. La vie et la pensée de Spinoza constituent, à elles seules, la meilleure réponse à ceux qui affirment que la philosophie ne contribue nullement au bonheur, que la sagesse n'a jamais existé en acte ou qu'elle est inaccessible à l'homme moderne.

Moderne, Spinoza l'est davantage que bien des contemporains ! Moderne, car audacieux, novateur, et on ne peut plus lucide et critique – comme nous l'avons vu – envers les fausses joies et les faux bonheurs poursuivis par la plupart des êtres humains. Moderne, car, bien avant Freud, il a compris que nous étions mus par nos passions et que sans une mise au jour lucide de notre affectivité inconsciente, la liberté n'était qu'un vain mot.

Moderne, car il affirme la radicale singularité de chaque individu et poursuit une authentique quête d'autonomie : le sujet autonome, pour lui, n'est pas seulement celui qui pense et agit par lui-même, mais celui qui pense bien et agit de manière juste. Il est donc le penseur d'une liberté complète, politique et intérieure.

Postmoderne même, car parfaitement rationnel et en même temps convaincu que la raison seule ne peut suffire à nous rendre heureux : elle a besoin du secours de l'intuition et de prendre appui sur la force du désir.

La sagesse, même si elle est exigeante, et sans doute aussi parce qu'elle est exigeante, fondée en raison et validée par l'expérience, survivra aux modes universitaires et aux sarcasmes de ceux qui n'ont jamais tenté de s'en approcher.

On l'aura compris en lisant ces pages, ma réflexion sur la joie est le fruit d'un long cheminement, semé d'obstacles, qui m'a permis de redécouvrir la joie de vivre. La plupart de ceux qui récusent toute idée de bonheur ou de joie permanente ne le font-ils pas tout simplement parce qu'ils en sont dépourvus ? Montaigne faisait aussi remarquer que ceux qui ont le plus de mal à se satisfaire des joies simples de la vie sont les penseurs, les savants, les professeurs, ceux qui vivent davantage dans le domaine des idées que dans leur corps et la vie concrète : « J'ai vu en mon temps cent artisans, cent laboureurs, plus sages et plus heureux que des recteurs de l'université, et auxquels j'aimerais mieux ressembler[60]. »

La question qui m'importe n'est donc pas de savoir si la sagesse existe ou non, si elle est possible ou pas, mais plutôt quel chemin de sagesse adopter. Il existe en effet deux grands types de sagesse, deux grandes quêtes qui entendent mener à un bonheur profond et durable. La première vise à l'ataraxie, à l'absence de trouble, à la sérénité. C'est celle à laquelle aspirent les épicuriens, les stoïciens ou le bouddhisme. Même si elle ne réprime pas les plaisirs, cette voie-là exige une vie plutôt ascétique. Ce n'est pas pour rien que la voie royale du bouddhisme est la voie monacale et que stoïciens comme épicuriens prônaient une vie particulièrement sobre et modérée. Tous mettent aussi en valeur la force de la volonté pour parvenir à la vie heureuse.

La seconde quête de sagesse aspire davantage à la joie parfaite qu'à l'absence de trouble ou à la sérénité. Elle est moins portée sur la répression des passions et des instincts que sur leur conversion vers un accroissement de la joie. Elle ne prône pas un idéal de renoncement, mais de détachement, c'est-à-dire de vie joyeuse dans le monde, sans asservissement aux plaisirs mondains et aux biens matériels. Elle croit plus en la puissance du désir et de la joie qu'en la force de la volonté pour atteindre la sagesse, c'est-à-dire une joie permanente que rien ne peut détruire, ce qui constitue une autre manière de parler du bonheur. C'est la voie prônée, de manière très diverse, par les taoïstes, mais aussi par Jésus, Montaigne ou Spinoza.

J'aspire à la sagesse depuis l'adolescence. En choisissant à vingt ans la vie monastique, je me suis engagé dans la première voie, celle de l'ascétisme. J'ai pris conscience que j'étais incapable de progresser durablement sur cette voie, trop aride et trop ardue pour moi, et que j'étais par trop motivé par le besoin névrotique de mener une quête héroïque. J'ai alors opté pour la seconde voie : la sagesse de la joie. Une voie à taille humaine, plus adaptée à mes forces et à mes faiblesses. Une voie certainement aussi plus proche de nos vies modernes. Une voie qui repose sur la lucidité et la connaissance de soi, la conversion du désir et le détachement, la souplesse et la flexibilité, le lâcher-prise et l'engagement dans la société.

Cette voie entretient aussi une relation tout autre avec la question du mal, de la fragilité et de la souffrance que la sagesse liée à l'absence de trouble. Les sagesses de l'ataraxie tendent en effet à supprimer ou diminuer le désir pour éviter la souffrance. Elles conduisent ainsi au renoncement, à une diminution des plaisirs et de l'affectivité. La sagesse de la joie, au contraire, entend assumer pleinement la richesse et l'intensité d'une vie affective et désirante, acceptant la souffrance comme corollaire. Même si mes désirs sont liés à des idées vraies, même si j'aime une personne qui est bonne pour moi, celle-ci peut toujours me quitter ou mourir. Pour me protéger de cette éventuelle séparation, je ne vais pas chercher à moins aimer cette personne. Bien au contraire, je vais l'aimer pleinement, de préférence sans esprit possessif ni attachement passionnel, mais en assumant le risque d'une séparation. Et si un jour cela arrive, je souffrirai, je pleurerai, mon cœur sera blessé, mais mon amour pour cette personne et pour la vie ne faiblira pas pour autant. Ma joie de vivre sera toujours présente et je pourrai m'appuyer sur elle pour surmonter cette épreuve. Plus encore, cet amour, dans la mesure où il a été vrai, a atteint une forme de plénitude qui lui confère un caractère éternel : plus rien ni personne ne peut le faire disparaître ou faire disparaître la joie vécue dont il a été la source. Tous les êtres qu'on a aimés, même si leur absence nous est douloureuse, continuent de vivre en nous. Non pas de manière imaginative, comme pour tenter de faire survivre désespérément leur présence physique, mais de manière réelle, à travers l'affect de joie active qui est né de l'amour.

Dans son très beau livre *L'Art de la joie*, livre hélas méconnu, le philosophe Nicolas Go a tenté de formuler une sagesse de la joie, qui insiste particulièrement sur sa dimension créative et artistique. Mais il a écrit aussi des pages très profondes sur le mal et la mort, auxquelles je souscris pleinement. Ainsi dit-il à propos de la mort de l'aimée : « L'amour converti, spiritualisé dirait Nietzsche, perdure dans la joie lorsque, en vertu de notre nature mortelle, la cause s'efface. Non pas que l'on se réjouisse de la mort de l'aimée, ce serait absurde, chacun en convient, mais parce que l'amour affirme sa puissance par-delà la mort. L'amour se connaît en son essence (la joie comme affect) lorsqu'il se découvre survivre à sa cause extérieure. L'amant privé de l'aimé(e) est privé de l'amour comme affection (au sens de passion), et en souffre faute de parfaite sagesse, mais trouve dans un même mouvement l'amour comme affect dont il est capable en surmontant sa peine. Je continue à t'aimer bien que tu sois morte, annonce le grand amoureux, car tu es l'amour. Le regret, les lamentations, signalent un amour manqué qui n'a pas su se convertir à sa propre essence dans une exigence de sagesse. Métamorphosé en plénitude, délivré du manque, l'amour se réalise en perfection dans la finitude à travers l'expérience de la joie[61]. »

Et comme le fait aussi remarquer Nicolas Go, cette sagesse typiquement spinoziste n'est pas, une fois encore, sans rappeler celle du Christ. Que l'on songe à son magnifique dialogue avec la Samaritaine sur l'amour ; une femme qui a eu cinq maris et qui vit en concubinage avec un homme qui n'est pas son mari. À cette femme passionnée, perpétuellement amoureuse, mais qui reste enfermée dans la dimension passive de l'amour, à jamais insatisfait, Jésus révèle l'amour véritable comme affect de joie active, qui atteint une dimension de plénitude et donc d'éternité. Il affirme ainsi, faisant un parallèle entre l'amour et l'eau du puits qu'elle vient puiser : « Quiconque boit de cette eau aura soif à nouveau ; mais qui boira de l'eau que je lui donnerai n'aura plus jamais soif ; l'eau que je lui donnerai deviendra en lui source d'eau jaillissant en vie éternelle[62]. »

On peut être agacé par de tels propos sur le deuil, surtout si on a eu beaucoup de mal à surmonter une rupture ou le décès d'un être cher. Je n'aurais pas osé les écrire si, une fois encore, je n'en avais fait moi-même l'expérience.

J'ai vécu plusieurs histoires d'amour importantes, j'ai donc connu des ruptures affectives, douloureuses sur le moment. Mais, passés les regrets et les peines liées à la dimension passive et passionnelle de la relation, j'ai toujours retrouvé avec mes anciennes compagnes une grande qualité de relation, accompagnée d'une joie profonde à nous revoir. Lorsqu'on aime une personne, cet amour, dans ce qu'il a de vrai, est éternel, et ne saurait disparaître ou se transformer en haine. J'ai également connu plusieurs deuils et j'ai été particulièrement atteint par celui, récent, d'une amie chère, avec qui j'avais vécu pendant six ans, et décédée dans des conditions dramatiques. Lorsque je l'ai appris, j'ai d'abord été anéanti par la violence du choc. Dans un premier temps, je ne parvenais pas à cesser de pleurer, à surmonter ce chagrin abyssal. Et puis, peu à peu, j'ai senti une petite joie enfouie dans mon cœur qui n'a cessé de rayonner jusqu'à prendre le dessus sur le chagrin. La joie de sentir que notre amour, dans ce qu'il avait eu de plus pur et de plus vrai, était encore là, qu'il était éternel. Évidemment, je souffrais de son absence physique, de savoir que je ne la reverrais plus jamais dans son être de chair. Pendant plusieurs mois, les larmes me montaient aux yeux pour un rien. Et puis la joie l'a définitivement emporté. Cette amie si chère est à jamais vivante dans mon cœur. Les tristesses liées aux passions tristes que notre relation avait aussi connues ont disparu. Ne restent que l'amour vrai et l'affect de joie active qui l'accompagne.

Ce qui est vrai de la souffrance intime l'est aussi face au mal qui existe dans le monde.

À l'inverse d'une certaine sagesse de l'ataraxie – qui tendrait à fuir le monde pour conserver la paix de l'âme –, la sagesse de la joie nous incite à vivre au cœur du monde pour en épouser les contradictions et tenter d'être un levain dans la pâte afin de contribuer à sa transformation. La sagesse de la joie rime avec engagement.

Parce que j'aime intensément la vie, toute la vie, je la sais infiniment précieuse. Parce que j'ai souffert et surmonté cette souffrance pour la transformer en joie, je connais le prix de la vie. Dès lors, je ne cesse de vouloir son plein épanouissement, non seulement pour mes frères et sœurs humains, mais aussi pour tous les êtres vivants.

La joie de vivre est empathique. Elle invite à la compassion, au partage, à l'entraide. Alors que les passions tristes nous enferment dans la peur et nous incitent à nous replier sur nous-mêmes, la joie active fait brûler notre cœur du désir de voir les autres s'épanouir. Elle nous rend plus ouverts, plus audacieux, plus courageux, plus tolérants, davantage soucieux d'autrui.

Certains affirment que lorsque le mal est trop fort, lorsqu'il prend par exemple le visage des camps d'extermination, plus aucun bonheur, plus aucune joie n'est possible sur terre.

Je pense exactement l'inverse. Non seulement le bonheur et la joie sont encore possibles, mais ils constituent même un devoir pour que de telles tragédies, issues des passions tristes de l'homme, ne se reproduisent plus. Mieux encore, la joie a pu exister au cœur de l'horreur. Plusieurs témoignages bouleversants de rescapés des camps en font état. Dans l'épilogue de mon livre sur le bonheur, j'ai cité les lettres d'Etty Hillesum qui, après ce qu'elle appelle « un grand ménage intérieur » pour dépasser ses angoisses et sa fragilité, témoigne de la joie qui l'habite lorsqu'elle est dans le camp de transit nazi de Westerbork, aux Pays-Bas. « Le grand obstacle, dit-elle, c'est toujours la représentation et non la réalité [...] Cette représentation de la souffrance, il faut la briser[63]. » Et elle est même capable de s'exclamer, alors qu'elle pressent ce qui l'attend après Westerbork, Auschwitz, où elle mourra le 30 novembre 1943 : « Comme la vie est belle pourtant[64]. »

Pour mon ami Luc Ferry, qui ne croit pas à l'existence d'un bonheur ou d'une joie profonde et permanente, Etty Hillesum est une « psychotique ». À l'inverse, je pense qu'elle a atteint, comme bien d'autres avec elle, un degré élevé de sagesse et que celle-ci, si difficile et exigeante fût-elle, est encore possible, même à Auschwitz, même après Auschwitz.

La sagesse de la joie n'apporte aucune réponse théorique à la question du mal, mais une réponse pratique : à travers la contagion d'un vif amour de la vie, d'un engagement en faveur de tous les êtres vivants. Cet engagement n'a rien d'un sacrifice, puisqu'il ne s'agit ni de renoncer aux plaisirs de la vie ni de cesser de désirer, mais d'apporter notre petite pierre, si modeste soit-elle, à la construction d'un monde meilleur : en refusant de répondre à la violence par la violence, en soutenant, autant qu'on le peut, les personnes de notre entourage qui sont dans une détresse morale ou matérielle, en facilitant l'accueil des étrangers qui fuient leur pays dévasté, en essayant de moins polluer notre terre, de moins consommer de viandes issues de l'élevage intensif, en s'engageant dans des réseaux associatifs qui favorisent le vivre-ensemble, en tentant de surmonter nos petits tracas quotidiens pour offrir aux autres un sourire communicatif, etc.

C'est tout le sens du mouvement « Colibri » fondé par Pierre Rabhi. Tel le colibri qui tente d'éteindre l'incendie qui ravage la forêt en transportant une petite goutte d'eau dans son bec, essayons de « faire notre part » de cette œuvre immense qui incombe à l'humanité afin de guérir le monde de toutes les plaies que nos passions mauvaises lui infligent : désir de dominer, cupidité, envie, jalousie, orgueil, peur. C'est le meilleur engagement pour favoriser la conversion philosophique, laquelle nous invite à nous transformer nous-mêmes, à convertir nos passions en actions, à passer des joies passives aux joies actives dont la puissance est salvatrice.

C'est cette sagesse de la joie, inspirée de Spinoza comme des Évangiles, en laquelle je crois, vers laquelle je tends, que j'essaye, avec toutes mes faiblesses et mes fragilités, de vivre un peu mieux chaque jour et de transmettre avec bonheur.

Notes

1. Sénèque, *Lettres à Lucilius*, 59.
2. Bergson, *L'Énergie spirituelle*, Petite bibliothèque Payot, p. 52.
3. J'ai développé cette réflexion dans un précédent ouvrage, *Du bonheur, un voyage philosophique* (Fayard, 2013 ; Le Livre de Poche, 2015), le lecteur désireux d'approfondir ces questions pourra s'y reporter.
4. Épicure, *Maximes capitales*, VIII.
5. Épicure, *Lettre à Ménécée*, 131-132.
6. Aristote, *Éthique à Nicomaque*, livre II, chap 6, 5 et 8.
7. François Lelord, Christophe André, *La Force des émotions*, Odile Jacob poches.
8. Montaigne, *Essais*, III, 9.
9. *Ibid.*
10. Spinoza, *Éthique*, III, proposition 6.
11. Spinoza, *Éthique*, II, appendice, définition II.
12. Nietzsche, *Humain, trop humain*, II, 98.
13. Bergson, *L'Énergie spirituelle*, *op. cit.*
14. *Ibid.*
15. *Méditations quotidiennes du Dalaï-Lama*, Pocket.
16. Mathieu Terence, *Petit Éloge de la joie*, Folio, p. 23.
17. Cette expérience m'a inspiré un conte initiatique, *Cœur de cristal* (Robert Laffont, 2014).
18. Bergson, *L'Énergie spirituelle*, *op. cit.*, p. 51.
19. *Petit traité de vie intérieure* (Plon, 2010 et Pocket, 2012).
20. Ahmad Ibn Ata Allah, *Les Aphorismes.*
21. Aristote, *Éthique à Nicomaque*, livre I, chap. 6, 2.
22. *Ibid.*, chap. 8, 10.
23. Spinoza, *Éthique*, III, 1, explication.
24. Spinoza, *Éthique*, IV, 18, démonstration.
25. Spinoza, *Éthique*, IV, 7, proposition.
26. Jean 8, 3-11.

27. Jean 3, 17.
28. Luc 19, 1-10.
29. Françoise Dolto, *L'Évangile au risque de la psychanalyse*, Points-Seuil.
30. Jean 15, 11.
31. Spinoza, *Éthique*, III, 57, démonstration.
32. Bernanos, *Œuvres romanesques*, Gallimard.
33. Aristote, *Éthique à Nicomaque*, livre VIII, I, 1155a.
34. Montaigne, *Essais*, livre I, XXVIII.
35. Rapportée par Diogène Laërce, biographe et poète du début du IIIe siècle, dans *Vie, doctrines et sentences des philosophes illustres*, X, 22.
36. Khalil Gibran, *Le Prophète*, Sur le mariage.
37. Khalil Gibran, *Le Prophète*, Sur les enfants.
38. Nicolas Go, *L'Art de la joie*, Le Livre de Poche, p. 178.
39. Actes 20, 35.
40. Spinoza, *Éthique*, V, proposition 23.
41. Cette anecdote est citée dans *Les Fioretti de saint François* (chapitre 8), un recueil anonyme d'histoires merveilleuses de sa vie, composé après sa mort, sans doute au XIVe siècle.
42. Spinoza, *Traité théologico-politique*, IV, 4.
43. *Du bonheur, un voyage philosophique*, chap. 21.
44. Spinoza, *Éthique*, V, 23, Scolie.
45. Plotin, *Ennéade* VI, 7e traité, 34.
46. Galates 2, 20.
47. Lettre de Romain Rolland à Sigmund Freud, datée du 5 décembre 1927, in *Un beau visage à tous sens. Choix de lettres (1886-1944),* Albin Michel, 1967, p. 264.
48. Schopenhauer, *Le Monde comme volonté et comme représentation*, III, § 52, p. 335.
49. Nietzsche, *La Naissance de la tragédie*, 17.
50. Clément Rosset, *La Force majeure*, Minuit, p. 21.
51. Friedrich Nietzsche, *Fragments posthumes.*
52. Marc 10, 15.
53. Dostoïevski, *Les Possédés*, IIe partie, chap. 1.
54. Montaigne, *Essais*, I, livre XXXI.
55. Bergson, *Les Deux Sources de la morale et de la religion*, PUF, chap IV, p. 330.

56. Nietzsche, *Le Gai Savoir.*
57. Luc 6, 21.
58. Martin Steffens, *Petit Traité de la joie. Consentir à la vie*, Poche Marabout, p. 40-43.
59. Rimbaud, *Le Bateau ivre.*
60. Montaigne, *Essais*, II, 12.
61. Nicolas Go, *L'Art de la joie*, *op. cit.*, p. 120.
62. Jean 4, 13-14.
63. Etty Hillesum, *Les Écrits, Journaux et Lettres 1941-1943*, « 30 septembre 1942 », Seuil.
64. *Ibid.*, « 24 septembre 1942 ».

Orientation bibliographique

Aristote, *Œuvres complètes*, Flammarion, 2014.
Lytta Basset, *La Joie imprenable*, Albin Michel, poche, 2004.
Georges Bernanos, *Œuvres romanesques*, Gallimard, 1961.
Henri Bergson, *L'Énergie spirituelle, essais et conférences*, PUF, 1967.
Henri Bergson, *Les Deux Sources de la morale et de la religion*, PUF, 2003.
Henri Bergson, *L'Évolution créatrice*, PUF, 2013.
La Bible de Jérusalem.
Confucius, *Les Entretiens*, Folio, 2005.
Gilles Deleuze, *Spinoza : philosophie pratique*, Minuit, 2003.
Françoise Dolto, *L'Évangile au risque de la psychanalyse*, Points-Seuil, 2 tomes, 1980, 1982.
Fiodor Dostoïevski, *Les Possédés*, Folio, 2001 (tomes 1 et 2)
Épictète, *Manuel, Lettres et Entretiens* (différentes éditions).
Épicure, *Lettres, maximes, sentences*, Le Livre de Poche, 1994.
Les Fioretti de saint François, Points Sagesse, Seuil, 1960.
Khalil Gibran, *Le Prophète*, Casterman, 1974, Le Livre de Poche, 1996.
Nicolas Go, *L'Art de la joie, essai sur la sagesse*, Le Livre de Poche, 2012.
Etty Hillesum, *Les Écrits, Journaux et Lettres 1941-1943*, Seuil, 2008.
Victor Hugo, *Les Misérables* (différentes éditions).
Diogène Laërce, *Vie, doctrines et sentences des philosophes illustres*, Garnier Flammarion, 1993 (t. 1 et 2).
Dominique Lapierre, *La Cité de la joie*, Pocket, 2015.
François Lelord, Christophe André, *La Force des émotions*, Odile Jacob, 2003.

Robert Misrahi, *Spinoza, une philosophie de la joie*, Entrelacs, 2011.
Montaigne, *Essais*, Pocket, 2009.
Friedrich Nietzsche, *Fragments posthumes*, *Œuvres philosophiques complètes*, XIV, Gallimard, 1977.
Friedrich Nietzsche, *Le Gai Savoir*, Garnier Flammarion, 2007.
Friedrich Nietzsche, *Humain, trop humain*, Le Livre de Poche, 1995.
Friedrich Nietzsche, *Naissance de la tragédie*, Folio, 1989.
Michel Onfray, *La Puissance d'exister*, Le Livre de Poche, 2008.
Jean-Marie Pelt et Pierre Rabhi, *Le monde a-t-il un sens ?*, Fayard, 2014.
Platon, *Œuvres complètes*, Flammarion, 2011.
Plotin, *Ennéades*, Les Belles Lettres, 1938, 1981.
Romain Rolland, *Un beau visage à tous sens. Choix de lettres (1886-1944)*, Albin Michel, 1967.
Clément Rosset, *La Force majeure*, Minuit, 1983.
Arthur Schopenhauer, *Le Monde comme volonté et représentation*, Folio, 2009 (t.1 et 2).
Sénèque, *Entretiens*, *Lettres à Lucilius*, Bouquins, Robert Laffont, 1993.
Baruch Spinoza, *Éthique*, Livre de Poche, 2011.
Baruch Spinoza, *Traité théologico-politique*, Garnier Flammarion, 1997.
Martin Steffens, *Petit Traité de la joie. Consentir à la vie*, Marabout, 2015.
Tchouang-tseu, *Œuvre complète*, Folio, 2011.
Mathieu Terence, *Petit Éloge de la joie*, Folio, 2011.
Émile Zola, *Les Rougon-Macquart*, XII : *La Joie de vivre*, Folio, 2008.

Table

Du même auteur
(ouvrages disponibles)

Fiction

Cœur de cristal, conte, Robert Laffont, 2014.
Nina, avec Simonetta Greggio, roman, Stock, 2013, Le Livre de Poche, 2014.
L'Âme du monde, conte de sagesse, NiL, 2012 ; version illustrée par Alexis Chabert, NiL, 2013, Pocket, 2014.
L'Oracle della Luna, tome 1 : *Le Maître des Abruzzes*, scénario d'une BD dessinée par Griffo, Glénat, 2012 ; tome 2 : *Les Amants de Venise*, 2013 ; tome 3 : *Les Hommes en rouge*, 2013.
La Parole perdue, avec Violette Cabesos, roman, Albin Michel, 2011 ; Le Livre de Poche, 2012.
Bonté divine !, avec Louis-Michel Colla, théâtre, Albin Michel, 2009.
L'Élu, le fabuleux bilan des années Bush, scénario d'une BD dessinée par Alexis Chabert, Vent des savanes, 2008.
L'Oracle della Luna, roman, Albin Michel, 2006 ; Le Livre de Poche, 2008.
La Promesse de l'ange, avec Violette Cabesos, roman, Albin Michel, 2004, Prix des Maisons de la Presse 2004 ; Le Livre de Poche, 2006.
La Prophétie des Deux Mondes, scénario d'une saga BD dessinée par Alexis Chabert, 4 tomes, Vent des savanes, 2003-2008.
Le Secret, fable, Albin Michel, 2001 ; Le Livre de Poche, 2003.

Essais et documents

François, le printemps de l'Évangile, Fayard, 2014, Le Livre de Poche, 2015.

Du bonheur, un voyage philosophique, Fayard, 2013, Le Livre de Poche, 2015.
La Guérison du monde, Fayard, 2012, Le Livre de Poche, 2014.
Petit traité de vie intérieure, Plon, 2010 ; Pocket, 2012.
Comment Jésus est devenu Dieu, Fayard, 2010 ; Le Livre de Poche, 2012.
La Saga des francs-maçons, avec Marie-France Etchegoin, Robert Laffont, 2009 ; Points, 2010.
Socrate, Jésus, Bouddha, Fayard, 2009 ; Le Livre de Poche, 2011.
Petit traité d'histoire des religions, Plon, 2008 ; Points, 2011.
Tibet, 20 clés pour comprendre, Plon, 2008, Prix « Livres et droits de l'homme » de la ville de Nancy ; Points, 2010.
Le Christ philosophe, Plon, 2007 ; Points, 2009.
Code Da Vinci, l'enquête, avec Marie-France Etchegoin, Robert Laffont, 2004 ; Points, 2006.
Les Métamorphoses de Dieu, Plon, 2003, Prix européen des écrivains de langue française 2004 ; Pluriel, 2005.
L'Épopée des Tibétains, avec Laurent Deshayes, Fayard, 2002.
La Rencontre du bouddhisme et de l'Occident, Fayard, 1999 ; Albin Michel, « Spiritualités vivantes », 2001 et 2012.

Entretiens

Dieu, Entretiens avec Marie Drucker, Robert Laffont, 2011 ; Pocket, 2013.
Mon Dieu... Pourquoi ?, avec l'abbé Pierre, Plon, 2005.
Mal de Terre, avec Hubert Reeves, Seuil, 2003 ; Points, 2005.
Le Moine et le Lama, avec Dom Robert Le Gall et Lama Jigmé Rinpoché, Fayard, 2001 ; Le Livre de Poche, 2003.
Sommes-nous seuls dans l'univers ?, avec J. Heidmann, A. Vidal-Madjar, N. Prantzos et H. Reeves, Fayard, 2000 ; Le Livre de Poche, 2002.
Entretiens sur la fin des temps, avec Jean-Claude Carrière, Jean Delumeau, Umberto Eco, Stephen Jay Gould, Fayard, 1998 ; Pocket, 1999.

Au cœur de l'amour, avec M.-D. Philippe, Fayard, 1998.
Les Trois Sagesses, avec M.-D. Philippe, Fayard, 1994.
Le Temps de la responsabilité. Entretiens sur l'éthique, postface de Paul Ricœur, Fayard, 1991 ; nouvelle édition, Pluriel, 2013.
Les Risques de la solidarité, avec B. Holzer, Fayard, 1989.
Les Communautés nouvelles, avec M.-D. Philippe, Fayard, 1988.

DIRECTION D'OUVRAGES ENCYCLOPÉDIQUES

La Mort et l'immortalité. Encyclopédie des croyances et des savoirs, avec Jean-Philippe de Tonnac, Bayard, 2004.
Le Livre des sagesses, avec Ysé Tardan-Masquelier, Bayard, 2002 et 2005 (poche).
Encyclopédie des religions, avec Ysé Tardan-Masquelier, 2 volumes, Bayard, 1997 et 2000 (poche).

Composition et mise en pages
Nord Compo à Villeneuve- d'Ascq

Pour l'éditeur, le principe est d'utiliser des papiers composés de fibres naturelles, renouvelables, recyclables et fabriquées à partir de bois issu de forêts qui adoptent un système d'aménagement durable.

En outre, l'éditeur attend de ses fournisseurs de papier qu'ils s'inscrivent dans une démarche de certification environnementale reconnue.